金牌小说

Awarded Novels
长青藤国际大奖小说书系

The
Mostly True
ADVENTURES of
Homer P.Figg

小荷马的大冒险

★

〔美〕罗德曼·菲尔布里克 著   罗玲 译

云南出版集团 晨光出版社

爱与希望
的历练

每个孩子在成长过程中几乎都会感到孤独，
缺乏安全感和归属感，
于是他们会出走、历练、回归，
在抗争中成长。

　　荣获 2010 年美国纽伯瑞儿童文学银奖的这部《小荷马的大冒险》，是一个建立在真实历史背景下的儿童冒险故事——当然主要人物和情节都是虚构的。

　　故事以一个十二岁小男孩的视角展开，从远离战争的松树沼泽乡下，到喧嚣的大都市，再到硝烟弥漫的战场，最后归于宁静的生活。整个过程充斥着荒诞、幽默、离奇而真实。那正是 19 世纪中期，美国的废奴运动逐渐兴起，白人和非裔奴隶之间，北方白人和南方白人之间，矛盾激化、交织。倾向废奴的林肯当选总统，引发了南北分裂和那之后持续几年的美国内战。战争给南北双方带来了巨大的破坏，数以十万计的士兵战死，更多的平民被卷入战乱，甚至失去了生命。本书的主人公小荷马等人也是其中微不足道的一分子。

　　战争的转折点，是发生于 1863 年 7 月初的葛底斯堡战役。这场战役是美国内战中最惨烈的一场战斗，最后以北方联军击败李将军指挥的南方盟军而结束，从此北方占据了主动，并最终赢得了内战。荷马的冒险故事也于这场战役中达到最高潮。

　　小荷马的疯狂冒险，源于对哥哥哈罗德的亲情和爱。哈罗德诚实而负责，对已经失去父母且被姨父虐待的荷马来说，哥哥就是一棵大树，是榜样，是港湾，是唯一的、全部的家人和生活的希望。因此，当哥哥被姨父设局卖给军队后，胆小怕黑的荷马义无反顾地开始了寻兄之旅，一路上受尽委屈、一再绝望却始终没有放弃希望。孤儿的主题很能打动读者，每个孩子在成长过程中几乎都会感到孤独、缺乏安全感和归属感，于是他们会出走、历练、回归，在抗争中成长。

　　整个故事充斥着战争的气息，却少有宏阔的描述，只选取了一个极狭窄具体的侧面。与其说在写战争，突出的更多是人性。对战争的控诉、苦难的描绘，永远围绕着一个精神的内核：爱、成长、希望和责任。战争一直在主线或远或近的位置相随，最后在葛底斯堡的小圆顶，达到最充分的交汇，发出激烈的碰撞。哈罗德所在的缅因州第二十志愿步兵团在这场战役中的确发挥了巨大的作用，其弹尽援绝后的肉搏冲锋是美国内战中最为艰苦、血腥、动人的一幕，伤亡率极高，见诸严肃的历史记载。兄弟二人在战场上奋不顾身地保护对方时，像电影画面一样震撼、壮美，让人热血沸腾。

对于小人物来说，战争没有赢家，创伤的平抚需要太多努力。不管是历史学者相对支持的北方，还是抨击较多的南方，被卷入战争的平民都是受害者。而无论是支持废奴的布鲁斯特先生、张伯伦上校等人，还是深入北方刺探情报、看似奸狯的弗里波特教授等，他们都执著于自己的信念，并勇于担当，甚至付出了生命。在小荷马的眼里，他们都值得尊敬。

作者罗德曼·菲尔布里克坦言，在写作这本书的时候他受到了马克·吐温很深的影响，荷马是一个《哈克贝利·费恩历险记》中费恩一样的孩子。但作为一部历史小说，菲尔布里克这样设置荷马的性格特点别有意味。荷马是一个满嘴跑火车的孩子，除了时不时要点小聪明外，还有一个显著的特点是"他总会把事情按照对自己最有利的方式来讲述"。当然，我们能够理解在寄人篱下被虐待的境况下，在那样一个尔虞我诈、充满凶险的动荡社会中，这些小机灵也是荷马生存下去的伎俩。而且在每个人成长的过程中，即使再愚笨木讷的人也曾经有过顽童的狡黠，并成为陪伴一生的记忆财富。但抛开个人成长，从另一个方面来讲，历史也是这样的。我们今天所看到的历史记录，所接触到的历史故事，也不一定就是绝对真实的，其中带有很多观点，撰写历史的人或者机构也会有意无意地把历史按照对自己有利的方式来讲述、来记录。有一句话说得很形象，一定意义上，"历史是胜利者的脸庞"。

目　录

CONTENTS

1　缅因州的大坏蛋 ……………………… 1

2　肮脏的蓝制服　　　　8

3　卑鄙的谎言 ……………………… 14

4　黑暗的世界　　　　18

5　像巨石一样大的熊 ……………………… 23

6　最难闻的气味　　　　27

7　装在麻袋里的人 ……………………… 34

8　天堂的美味烤饼　　　　42

9　教友的谈话　　　　49

10　当河流像婴儿般哭泣 ……………………… 55

11　黄鼠狼来了　　　　60

12　泥地里的门 ……………………… 65

13　载满希望的马车　　　　73

14　饥饿的老鼠　　　　78

15　通往荣光的火车 ……………………… 84

16　全心全意为您效劳　　　　91

17　给荷马·菲戈的消息 ……………………… 97

18　猪的气味 ……………………… 105

19　吓死人的猪娃 ⋯⋯⋯⋯⋯ 111

20　神奇的大篷车 ⋯⋯⋯⋯⋯ 119

21　被印第安人煮了 ⋯⋯⋯⋯⋯ 125

22　马车的秘密 ⋯⋯⋯⋯⋯ 129

23　枪声 ⋯⋯⋯⋯⋯ 133

24　小猪荷马的三声猪叫 ⋯⋯⋯⋯⋯ 138

25　看见了大象和死亡 ⋯⋯⋯⋯⋯ 146

26　可怕的黑色马车 ⋯⋯⋯⋯⋯ 155

27　愤怒的气球人 ⋯⋯⋯⋯⋯ 160

28　教授被抓 ⋯⋯⋯⋯⋯ 168

29　像只断翅的小鸟 ⋯⋯⋯⋯⋯ 175

30　当尖叫响起来 ⋯⋯⋯⋯⋯ 180

31　糟糕的七月第一天 ⋯⋯⋯⋯⋯ 188

32　有些事情最好遗忘 ⋯⋯⋯⋯⋯ 194

33　M 就是叛徒 ⋯⋯⋯⋯⋯ 204

34　一座小山 ⋯⋯⋯⋯⋯ 209

35　即使他们死去 ⋯⋯⋯⋯⋯ 217

36　故事的结局 ⋯⋯⋯⋯⋯ 227

我从来都没想过，一个男孩子可以既是个好孩子，又是个小骗子，可你就是。

★ 1 ★
缅因州的大坏蛋

我的名字叫荷马·P.菲戈,这个故事是我的真实冒险。无论你们是英雄还是懦夫,是高尚的人还是软骨头,我都想把我的故事写下来讲给你们听。也许有的人身上沾染了无辜者的鲜血,也许有的人建立了功勋,也许有的人已经去了天堂,还有的人到了别的地方,不管怎么样,我都想把我的故事写下来讲给你们大家听。

我之所以要强调这是我的真实冒险,是因为我曾经对一个作家撒过一个小谎。我给他讲了我哥哥哈罗德和我如何在葛底斯堡打了胜仗,我俩如何互射了一枪,又如何死里逃生,最终得以来讲述这个故事的经过。当然我对他讲的有的也是真的,不过大部分都是假的。他后来把这事写了出来,还在报纸上发表了。

讲出真相对我来说并不容易，有时候尘封的真相还没有谎话顶用，不过我会尽量还原真相的。

我名字中间的 P 是皮尔斯这个名字的首字母，这是从我妈妈阿比格尔·皮尔斯·菲戈那里继承下来的。我妈妈因为热病去世前，把我和哥哥哈罗德托付给了我们的姨父司昆廷·里奇，当时我们的姨妈也已不在人世了。在我出生之前，我们的爸爸亨利·菲戈从树上掉下来摔死了。妈妈去世以后，我们的日子变得更糟了，因为司昆廷·里奇是整个缅因州最坏的大坏蛋。我这话可能也不全对——班戈区曾经有个更坏的人，以毒死小猫来取乐，但是老家伙司昆廷肯定是萨摩赛特县心肠最狠的人。他实在是太坏了，他把《圣经》里教导我们要与人为善的教义全都忘了，只用坏德行来欺负我们。他还口口声声地说是上帝派他来收拾我们的，好像他是圣人约伯，而我们是毒疮和鼠疫似的。

司昆廷·里奇，仅仅是写下他的名字都会让我发抖。我妈妈生前是个善良的教师，她教导我们要说话得体，所以我不能直截了当地说出我对司昆廷·里奇的感觉。不过那种感觉跟兔子、臭鼬，跟我背上的伤口，还有严重的牙疼差不多。

我和哈罗德尽量不跟司昆廷说话，因为他几乎讨厌所有的东西。如果碰巧我和哈罗德惹到了他，我们也会在他的怨恨名单里。

我曾经把司昆廷无法忍受的事情列了一个清单。

姨父讨厌的东西

1. 讨厌他耕作的田地，因为地里有太多坚硬的石头妨碍他的犁头。
2. 讨厌拉犁的老马鲍勃，因为鲍勃得吃他的干草。
3. 讨厌他的两头奶牛贝丝和弗洛斯，因为它们从来没有产出过足够的牛奶。
4. 讨厌他的房子，因为屋顶漏雨。
5. 讨厌他的谷仓，因为我和哈罗德住在那儿。
6. 讨厌女人，因为她们都死了，还扔下两个男孩给他照顾。
7. 讨厌南方佬，因为他们有奴隶。
8. 讨厌黑人，因为他们抗议被奴役。
9. 讨厌参议院的道格拉斯，因为道格拉斯太矮了。
10. 讨厌总统林肯，因为林肯先生太高了。
11. 讨厌天空，因为不管天空是如何阳光灿烂、湛蓝耀眼，终有一天还是会下雨。

写完这十一条，我的纸就不够用了。松树沼泽区教堂的帕森·里德曾经说司昆廷·里奇是被生活折磨成那样的，可我觉得他就是喜欢讨厌别人。他喜欢憎恨就好像有人喜欢喝威士忌或者朗姆酒一样。老司昆廷一定是从憎恨中得到了极大的乐趣，以至于他一直都那么坏，不管什么他都不喜欢。而他把最多的憎恨瞄准了我的哥哥哈罗德，哥哥总是为了护着我而和他发生冲突。

故事就是这样开始的，我们真实的冒险起因就是哈罗德要保护我。

有一天，我在喂猪的时候偷吃了一片馊面包，被司昆廷抓了个现行。那面包是他和着泔水拿来喂猪的。

"那是给猪吃的，"他说，"可不是给像你这样的人吃的。"

但我使劲地吃，想尽量多吃一点儿。我估计要是等他脾气上来了，我会挨拳头，说不定还会被踢上几脚。但是当司昆廷举起拳头准备揍我的时候，哈罗德抓住了他的手腕。

"这孩子饿了，姨父。事实上，我们从来就没吃饱过，你给猪吃的都比给我们吃的要好。"

司昆廷的脸涨得通红。他一边咒骂着一边要来打我们俩，可是他抓不住哈罗德。哈罗德虽然瘦骨嶙峋，但很有劲。结果司昆廷自己在猪圈里绊倒了，摔了个狗啃屎，满脸都是稀泥和猪粪。

这下他彻底被激怒了。

我和哈罗德可没有坐以待毙。我俩拼命逃回谷仓，从里面闩上了门。我们从门缝里看见老司昆廷挣扎着从稀泥里爬起来，踉踉跄跄地回了屋。

屋里有枪。

"他想打死我们。"我肯定地说。

哈罗德摇摇头说："不会吧，姨父还需要我们给他干活儿呢。"

"那他起码也会打伤我们。"

"不管他打算干什么，我都会阻止他的。"哈罗德无比坚定地说，坚定得就好像他已经抓住了司昆廷的什么把柄，并且可以利用这个把柄保证我们的安全；坚定得就好像他已经长大了，只要有必要，他就能把那个老家伙扔到稀泥里去。

我们躲在谷仓里，密切留意着屋子那边的情况。我们发现司昆廷偷偷摸摸地从侧门溜了出来。

我敢肯定，他一定已经拿上了那把老式的、燧石激发的松鼠步枪。可奇怪的是，他并没有朝我们这边过来，而是跑到小围场那边去了。接下来他爬到老马鲍勃的背上，在扬起一阵尘土后就离开了——老马鲍勃也就只能弄出那么点儿尘土了。

"他肯定是去找警长了，"我说，"他想把我们绞死。"

哈罗德看了我一眼，说："你知道他恨警长，比恨我

The Mostly True ADVENTURES of Homer P. Figg

们还厉害。"

"那他要去哪儿？"

事情有点不对劲，司昆廷没有像平常那样锁上门使劲揍我们一顿，他居然走了。当时我的感觉是，我宁愿挨上一顿胖揍，也不想他干出他脑袋里正在酝酿的事情。可他居然就那么骑着马走了。

哈罗德看我担心得不得了，安慰我说："别担心，弟弟，我有办法。"

"那我们就行动吧。"

做什么都比干等着司昆廷回来要好。

哈罗德说，他明年就满十八岁了，已经是时候带着我一起逃跑，然后靠自己过日子了。他说我们可以去伐木场干活，当伐木工人，用斧子和锯子来砍树什么的。哈罗德给我描述这些的时候，我仿佛已经看见了营火，闻到了在铁锅里咕嘟咕嘟冒着泡的炖肉味儿，听见了那些参天大树轰然倒下时发出的巨响。

我们可以骑着圆木在大河里漂流，我们的报酬是金沙和牛肉。总有一天我们会拥有一片自己的森林，森林里的一切都属于我们。这美好的场景都是哈罗德给我描绘的。

我从来没有这么开心过，可是正当我幻想着砍树的时候，司昆廷带着一群人回来处置我们了。

★ 2 ★
肮脏的蓝制服

　　他们没费多大工夫就在阁楼上找到了我们。我们藏在发了霉的陈年干草下面，当他们砸开谷仓门的时候，我们正像兔子一样蜷缩在干草垛里。

　　我首先听到的是司昆廷在赌咒发誓，说一定要找到我们。

　　有一个人叫司昆廷关上了谷仓的门。

　　"如果他只是一个孩子，里奇，他是怎么打倒你这个肥佬的，啊？你确定你不是被一头猪给撞倒在稀泥里的？"

　　过了一分钟左右，那个人就上了阁楼。他把干草叉戳在地板上，发出刺耳的声音。"出来吧，小子们，来听听这个好听的声音。要是不出来，我可就要用叉子扎了。我数三声，一……二……"

　　他每数一声就用干草叉子使劲地戳一次地板，那尖锐的声音听起来就像是军刀发出的。哐！哐！那声音离我们藏身的地方越来越近，不急不忙地就像正在前进的军队一样。

"三！"

哈罗德用手肘轻轻推了我一下，我俩都站了起来，手里攥着一把干草。

那个手拿干草叉子的人是科尼利斯·维萨姆，他做威士忌买卖，住在小山顶上的窝棚里。我早辨出了他的声音，他说"扎了"的声音很特别。科尼每周六晚上都会赶着一匹马到这附近转悠，马背上驮着装威士忌酒的瓦罐子。司昆廷爱喝苹果酒，胜过爱其他任何东西。不过他倒是和科尼有个共同的爱好，那就是抽烟斗。他们会在某个傍晚一起坐在门廊上，一边咂吧着烟叶吐唾沫，一边自吹自擂年轻时候的事。科尼就是人们常说的那种吹牛皮大王，他有吹牛的天分，我和哈罗德经常躲在门廊下，偷听他们俩神侃胡说。

我唯一一次听见司昆廷大笑，就是在科尼讲了一个又臭又长的故事时。科尼说自己不小心吞了一条虫子，然后那虫子的脑袋和尾巴两端同时从他嘴里跑了出来。

"您好，维萨姆先生。"哈罗德说着，把头发上的干草摘了下来。

"你好，哈罗德。你们这两个小子这次是真的把老司昆廷惹毛了。"

"是的，先生，确实是。"哈罗德说。

和我不一样，哈罗德一辈子都没说过谎，这让后来——当他们把我们弄到院子里之后——的事情变得更糟了。理所当然的，司昆廷在院子里看起来比即将爆发的闪电还要愤怒。科尼押着我们去受审。院子里站着我们县的法官马斯顿，还有一个瘦瘦的深眼眶陌生人，他穿着一件破旧的蓝色制服，那衣服上满是稀泥，脏得就跟他也和司昆廷一样刚在猪圈里滚过一圈似的。

这个穿着肮脏的蓝制服的人，身上满是臭烘烘的威士忌酒气。他的目光闪烁，没有直视我和哈罗德，好像我们让他觉得不自在，又或者他本来就觉得不自在。他很有可能刚刚仔细看过了科尼递给他的装酒的瓦罐，发现罐子里空空如也，应该很是失望吧。

"哈罗德·菲戈，你已经被我告了！"司昆廷一边挥舞着拳头一边咆哮，"这小子企图谋杀我！快用铁链子把他拴起来！"

"噢，闭嘴，你这个老笨蛋。"法官马斯顿开口了，声音不高却充满权威感。

我们都了解马斯顿，因为他几乎拥有松树沼泽区的一切，比如马斯顿绸缎店、马斯顿旅馆，还有马斯顿服装店。大家还说法律上的事情也是由马斯顿说了算，他还给自己搞了个地方法官的头衔。本县人不管是买地还是卖地，都必须要给法官马斯顿交手续费，要不然这买卖就不合法，那块地也不会被标注在本县的地图上。甭管你是想在法律允许的范围之内还是范围之外办什么事，只要喂饱了马斯顿，他就会帮你办成。

此刻马斯顿稀稀拉拉的白胡子耷拉在胸前，眼睛倒是黑得跟纽扣似的。他咧开嘴冲我们一笑，露出一口黄黄的牙齿，那种笑就跟一只狗要咬人之前冲你龇牙的感觉一模一样。然后他说："哈罗德·约瑟夫·菲戈，根据 1863 年 3 月 3 日通过的《征兵法》，你现在已经被征用为二等兵了，去宣誓吧。"

"征兵？"哈罗德抬头盯着他说，"可我还没到岁数，我只有十七岁！"

"他撒谎！"司昆廷吼道，"我以《圣经》的名义发誓，这小子已经二十岁了！"

"真是势不两立啊。"马斯顿说着挥了挥手，就像是要赶走令人生厌的苍蝇，"中士，你来主持宣誓。"

那个穿蓝色制服的人根本就没注意马斯顿在说什么，以至于马斯顿又尖着嗓子喊了一遍，他才跑到哈罗德面前。

"准备好了吗，孩子？"那个陌生人问。

"这样做是不对的！"哈罗德说着，看了一眼陌生人，又看了一眼马斯顿，"我还没到法定年龄，你怎么能这样做，姨父？以后谁来照顾荷马？"

"我是他的监护人，"司昆廷龇着牙说，"以后我来照顾这个小兔崽子，这一点你就不用操心了。"

"宣誓吧，中士。"马斯顿催促道。

哈罗德摇头拒绝的时候，那个陌生人打开枪盒子，把手枪拿了出来。"二等兵，你必须宣誓，不然我就按逃兵执行枪决，你选一个吧。"

"你要杀一个小孩？"哈罗德不可置信地说，"我还不到年龄，我想你心里很明白。"

那个陌生人第一次直视我哥哥的眼睛，他说："我已经被迫杀了很多小孩了，再多杀一个也没什么要紧。现在，举起你的右手，宣誓拥护美利坚合众国宪法，拥护缅因州法律，服从你的合法上级。"

哈罗德的眼中充满了真切的悲伤。他摇了摇头，对我说："对不起，荷马，这一次司昆廷得逞了，我必须得按照他们说的做。"

就这样，我哥哥被逼着用司昆廷的《圣经》宣了誓。等一会儿他就要应征加入联军了，他得在那儿服役三年——也许等不到三年他就战死了也不一定。

"跟中士走吧，"马斯顿对哈罗德说，"他会给你安排的。"

"那我呢？"我大声地说，"我也可以去吗？也让我宣誓吧，你们这些恶棍！"

科尼大笑起来，说道："恶棍，是吗？小小年纪怎么说得出来这么文绉绉的词，你是从你妈妈的哪本书上学来的吧，是吗？"

"不许你这样说我妈！"

科尼摇着头，咧嘴笑起来："小子，滚回谷仓去，躲到干草垛下面，等战争结束了再出来。"

"我要跟哈罗德一起去！"

"我的弟弟，现在你得冷静下来。"哈罗德说着轻轻地抱了我一下，"事情已经这样了，我刚才已经发了誓，无论如何，我不能违背我的誓言。"

我气极了，扑到司昆廷的身上想用拳头打他。可是我打不到，于是我又用牙齿咬他，就像一只老鼠，像他一样的老鼠。

"科尼利斯！把这个小崽子关到地窖里去！"

科尼抓住我，任凭我一路挣扎，拖着我便往地窖走去。我最后看了一眼哈罗德，那个穿着肮脏的蓝制服的陌生人用一根胡桃木棍子，押着光着脚的哈罗德走了。很显然，他们就用这种方法——一罐威士忌加上一通谎言——就把我的哥哥卖给了军队。

我希望他们能发给哈罗德一把真正的步枪和一双靴子，这样哈罗德就能穿着靴子走回家了。

★ 3 ★
卑鄙的谎言

　　大多数人家都会在地窖里储存食物，可是司昆廷·里奇不会。这地窖里有一张老海狸皮，散发着恶臭。自从他没把这张海狸皮卖出好价钱，他就发誓说要让它烂掉，然后他就真的让它烂在这儿了。三个木柜子里全是空罐子，里面爬满了虫子。还有一小桶五加仑的苹果酒，可能都已经变成苹果醋了吧。还有一些破家具，有可能是从我妈妈那儿搬来的，不过我也不敢肯定，因为司昆廷从来不让我们看。另外还有一只连把手都坏了的胶纸板旅行箱。

　　地窖里除了这些鬼东西就没有别的了。石头和灰尘倒随处都是，可能是为了防止饿极了的人去啃墙上那坚硬的页岩和花岗岩吧。

　　我想吃东西，我最后吃的东西就是那片原本要拿来喂猪的馊面包片。都是因为那片面包才惹出这些事情来。

毫无疑问，都是我的错。要不是因为我从猪食里偷了那片面包，哈罗德也不会被抓去当兵，那现在我们俩就可以像往常一样一起对付司昆廷了。如果能让哈罗德回来，我愿意拿任何东西交换。要一个人生活了，这个念头让我害怕极了，比蜘蛛还吓人。在这个世上，发生了很多不好的事情，失去爸爸妈妈，不得不和司昆廷生活在一起，等等，可是以前都有哈罗德和我在一起，他总是安慰我，说有一天我们的生活会好起来的，我也总是相信他。

他离开还不到一个小时，我已经开始疯狂地想念他了。更糟糕的是，我知道战争中会发生什么事。我们这儿的报纸每个星期都会列出本地人在战争中阵亡和病逝的名单，那上面没有具体说他们是怎么死的，只有简单的几个字，例如"在马尔文山战役中光荣牺牲"，或者是"因负伤医治无效而牺牲"，绝大部分牺牲的士兵都没能再回到故乡，都是就地掩埋了。

哈罗德既真诚又勇敢，还毫无畏惧，他肯定会战死的。

我深深地为发生在哈罗德身上的事情而焦虑。我躺在地窖的角落里，难过极了，为我自己，为我的哥哥，也为一切让我伤心的事。我幻想着死亡还有哀嚎的幽灵之类的，我盼望着能吃点什么东西让我忘了饥饿，起码也能为了别的什么好点的原因难受，而不是因为饿了。

然后天开始亮了，幽灵什么的根本就没有出现，但是我的头顶上传来了有人说话的声音。那是司昆廷和科尼利斯·维萨姆，他们正在吹嘘他们所干的勾当。

　　我可以从地板的缝隙里清楚地听到他们的声音，就像白天一样。

　　科尼喋喋不休地说着司昆廷是如何聪明，还有他们把哈罗德卖给军队得了多少钱。

　　科尼说："这真是一出好戏啊，司昆廷，那个法官在你这出戏里分了多少钱？三十美元？不然你的意思是三十个银币？嗯？"

　　"就是按他一贯的规矩抽成，"司昆廷说，"免不了的。"

　　"让我算算，给中士哈里斯的那罐酒是两美元，我当证人得了二十美元。"

　　"那可是商量好的价钱。"司昆廷强调道。

　　"那么，剩下的两百美元都归你了，跟我算的差不多吧？有一次，马斯顿一个有钱的朋友就是用这个价钱让他的宝贝儿子免服兵役的。"

　　"可我还得花上好几个月的时间去讨这笔钱，"司昆廷抱怨着，"到那时候，我早就没钱花了。"

　　"但你终究会要到的，"科尼肯定地说，"你只出了五十美元的本钱，这笔买卖太赚了。"

　　"那小子可是我的亲戚，"司昆廷说，"我理应得到最多的一份，这样才公平。"

科尼哈哈笑着，把手里的酒罐子砸到了地上。

"噢，司昆廷，你真是一个恶棍！算你好运，那孩子那么单纯，他很可能会在还没有意识到他的宣誓不合法之前，就吃了枪子儿。他这个事情甚至都还没有法律备案。你这混球儿也太聪明了，说他满二十了。"

"他总会满二十的，"司昆廷嘀咕着，"你看看他的体格。况且，还有比他更年轻的男孩志愿参军呢，那些年轻人都能隐瞒真实年龄被军队接收，为什么他就不行？"

如果不是因为我的喉咙太干，听到他们这些话我肯定已经吐出来了。我曾在绸布店听别人议论过新的征兵法，法律允许富人用钱雇佣穷人去替他们参军，甚至去替他们牺牲。

这就是司昆廷对哈罗德所做的事，他把哈罗德像个奴隶一样地卖掉了，卖价二百五十美元。尽管哈罗德是个白人，而且是个自由人。哈罗德参军这事根本就没有备案，连科尼都知道不合法；哈罗德所宣的誓也不能算数，因为这根本就是一场骗局。

我听到了这些，然后我知道该怎么做了。

我必须从缅因州的松树沼泽逃走，逃离司昆廷·里奇，逃离他这可恶的农场。我要在事情无法挽回之前，找到我的哥哥，把他从战争中拯救出来。

★ 4 ★
黑暗的世界

你想从上了锁的地窖里逃脱？那就得像只鼹鼠一样去想办法。

趁着司昆廷和科尼还在喋喋不休，我从一把破破烂烂的椅子上取下一根木棍，然后开始掏地窖墙壁上的石头。没费多大的劲，我就掏松了一块大石头，又用那根木棍当杠杆，把那块大石头给撬了下来。石头落在满是灰尘的地上时发出了很大的响声，不过当时科尼又在说他吃虫子的事，司昆廷笑得跟一条忘了汪汪叫的狗一样，他们除了自己的声音，别的什么都听不到。

于是我开始用两只手挖，我刨出来很多小石头，还有好多泥巴，我必须在灰尘中尽快把事情搞定。司昆廷和科尼对哈罗德所做的事让我如此生气，我挖得越

来越快。

个子小有一个好处——我只需挖一个小洞就能钻出来。不到一个小时，我就站在了屋子的旁边。我的鼻子里全是灰尘，我的眼睛却在明月下闪着光亮。

就在这时，科尼从屋里出来了，还扯着嗓子在唱歌。我赶紧躲到一堆摞好的木柴后面，当他摇摇晃晃地朝院子里走去时，我蹲了下来。

"别再迟疑，我的爱人，我在等着你！"他扯着嗓子吼道，"月亮美人的光辉正笼罩着我！"

他的声音真是难听，估计月亮听见都要抓狂了，不过他自己一点儿都不以为意。他浑身散发着臭气——威士忌的气味还有些别的什么肮脏东西的气味，他本人跟那些肮脏的东西也差不多。我猜酗酒一定严重影响了他的视力，因为他一点儿都没看见我，只顾着继续往前走，用脚上的靴子试探着往家走去。他往北边去了，一边走还一边唱着"美人啊月亮"什么的。也不知道到底是谁在领着谁走，反正要么是科尼，要么是他的马，总有一个认识回家的路。

这时候侯司昆廷慢慢地来到了走廊上，我紧张得心都跳到嗓子眼儿了。我以为他会绕过那堵墙去看看我在地窖里怎么样了，但他只是抠了抠肚皮，跟几百年没睡过觉似的打着哈欠，然后就回屋了。

一分钟以后，屋里的灯光暗了，整个屋子黑了下来。

当我还很小的时候，我特别怕黑，那时候哈罗德总是坐着陪我，直到我睡着。有的时候是十分钟，有时候是一个小时，可是哈罗德从来没有抱怨过，也从来没有让我觉得怕黑是一种很蠢的行为。哈罗德说，陪我睡觉是我们的妈妈想做的事，他很高兴能接过这个责任。

现在黑暗没有以前那么让我害怕了，但确实也不是那么令人喜欢。在黑暗中，我感觉森林里有好多好多的眼睛在注视我，这让我的心怦怦地跳个不停，耳朵也滚烫滚烫的。我都想爬回地窖去藏起来了，可是我知道，我不能再回去了。

过了一会儿，老司昆廷打起了呼噜。他的呼噜声真是大呀，估计隔壁县的人都能听到，更别说躲在柴堆后面的我了。

要走就趁现在，不然就没机会了，于是我从柴堆后面站起来，朝司昆廷养马的小围场跑去。

我想，妈妈一定会希望我把哈罗德从战场的死亡威胁中解救出来，就像她希望哈罗德在黑暗中陪着我驱散恐惧一样。我步行肯定是追不上哈罗德的，所以我想妈妈也会支持我骑着老马鲍勃去追，就算有人会觉得我是在偷马。事实上,老马鲍勃也是妈妈所有财产中的一部分,所以虽然不是完全合法,我应该也是有优先继承权的。

鲍勃一点儿也没有介意我深夜来叨扰，当我弯腰溜进小围场的时候，它走过来在我的手上蹭了蹭鼻子。鲍勃总是对我这样好，哪怕我连一个苹果一块糖都没有喂过它。可能是它闻出了我的气味，也可能它只是希望有人陪着它。

"嘿，鲍勃，"我轻声对它说，"今晚我们一起出去走走吧，好伙计？嘘，安静。"

司昆廷把缰绳留在鲍勃身上了，用来当马鞍的只有一块旧毯子，所以只花了一点儿时间我就把鲍勃牵出了小围场，离开了司昆廷的家。我们好像正在进行一场吓人的狂欢，鲍勃和我一起深一脚浅一脚地走过石头路，生怕会吵醒那些黑暗中的鬼魂，还有司昆廷。

司昆廷没被吵醒。当我和鲍勃翻过第一座小山的时候，月亮已经沉下去了，黑暗笼罩了我们。天上有几颗星星，在云飘过的时候偶尔闪烁着，不过这就足够让我辨别出南方了。我跟上了哥哥的脚印，虽然我甚至看不见那些脚印。

太阳出来的时候，我们已经尽力跑了好几英里。就算只是为了夺回他的马，司昆廷也会追过来的，而要是被他抓回去，他一定会杀了我。

★ 5 ★
像巨石一样大的熊

你有可能知道，马不喜欢在夜里赶路，其实人也不愿意在夜里赶路。马有自己的作息习惯，晚上应该是它站着睡觉的时间。所以过了一会儿，鲍勃就想回去了，它转动着眼珠子，看上去有点害怕。不过它并没有过分跟我较劲，一切都还能够掌控。

"好伙计。"我一直跟它说着这句话，这样我就可以听见自己的声音了。树林里有吱吱嘎嘎的声响和呜咽声，听得我心惊胆战。

我告诉自己那不过是些高高的大树罢了。松树、云杉和杜松都在风里摇晃，它们长长的大树枝像手指一样拂来拂去，同时发出深深的叹息，那声音像是要渗入人的骨头里。

"好伙计，"我说着，"好伙计。"

我们跑得不快。鲍勃老了，跑不动，而且就算是匹年轻的马，在黑暗中也不能快跑，不然肯定会摔断腿的。

我牵着鲍勃走了好几英里，然后爬上它光秃秃的背，让它驮着我走了一会儿。我和我的老马在树影重重的黑夜中寻找着出去的路。

哈罗德一直都在我的脑海里。他是怎么被那根木棍押着肩膀，在那个满嘴威士忌酒气的中士的吆喝下一直走一直走的呢？离家那么远，他害怕吗？他知道我会跟来吗？他的脚疼吗？然后我开始担心会不会有熊攻击他，那些熊大得跟巨石一样。这个想法让我非常害怕，以至于那些树的影子看起来都变成了饥饿的熊，云杉的树枝就像熊尖锐的牙齿，要从身后猛地咬住我们。

老马鲍勃感觉到了我的恐惧，这让它也害怕起来，于是它开始加快步伐。

"吁！停下！"

我拉紧了缰绳，可是鲍勃并没有停下。它脑子里一定是打定了主意，要赶紧从这黑暗和树影中跑出去。它要一直跑，直到看见亮光，重新看见这世界为止。

我所能做的就是使劲抓紧缰绳。我紧紧地搂着它的脖子，树枝从我们身边扫过，距离如此之近，我甚至可以闻到松枝的气味。马恐惧地喘着气，晃着脑袋想要保

持清醒。我们铆足了劲拼命地跑，我相信它的蹄子能找到路。下一步会怎样，我也管不了那么多了。

我觉得它随时都有可能因为被绊倒而摔断腿，而我会从马背上飞下来，脑袋会撞到树上或者是石头上，然后我的冒险也就结束了。可在全速奔跑了一段路之后，鲍勃突然开始减速了。它吃过的燕麦已经消化光，很可能还意识到自己已经老了，不能再跑那么快了。它仰起头，喘着粗气，鼻子里喷出了泡沫。

我们必须休息一下，不然它就要因我而死了。可怜的老鲍勃浑身颤抖，它彻底累瘫了，喉咙里发出咕噜声，这意味着它还是非常害怕。

其实，我也怕。在黑暗中我听见了一些实在不想听见的声音。有人在说话，听起来像是两个男人。一个人的声音比较低沉，听不太清楚；可是另外一个人，那个一直在说话的人，他的声音就像响铃一样清晰。

"杀了那个小崽子，"那个声音在说，"一有机会就杀了他。"

★ *6* ★

最难闻的气味

"要是现在就杀了他,我们就拿不到钱了。"

"得了吧,斯汀,你干吗老是扫我的兴?你知道我们早晚要了结他的。"

"在我发火之前回去!司默特,你怎么就听不懂呢?"

是斯汀和司默特。这两个冷血杀手在树林里争论着,他们离我如此之近,近得甚至能听见我的心跳声。更糟糕的是,天色亮得越来越快,我从来没有想过有一天我会希望黑夜更长一些。如果在这个时候太阳出来的话,我就会暴露在光天化日之下。

可是让我暴露了的不是阳光,而是发出嘶嘶声的老马鲍勃。

"等等!听见了吗?"

片刻之后，一个身材高大的男人从云杉的树枝丛中冲了出来，把竭力藏在马背后的我给抓住了。这个男人少了一只眼睛，他的一个眼眶是空的，不过很显然，他用剩下的那一只眼睛也可以把我看清楚。

"从马后面走出来，小孩！"

我还没来得及挪动，这个大个子男人就像提溜一袋豆子一样把我从地上抓住举了起来。他摇晃着我，大声对我吼道："你是法官派来的探子是吧，小孩？是他派你来的，是不是？"

以前，我和哈罗德都觉得在炎热的夏天里，被热死在干草堆里的公鸡散发出来的气味是最臭的，不过那只能说是在我认识斯汀·穆林之前——斯汀身上到处都是腐烂的臭味，他那黑黑的牙齿、满是疤痕的空空的眼眶、硬邦邦的胡子……跟他身上的气味比起来，生病的猪放的屁都是香的。

实在是太臭了，我几乎喘不上气来，更别说为自己辩解不是什么法官派出来的探子了。什么法官？什么探子？难道我已经到了战场了吗？

"嗯？你怎么解释，小孩？"

我还没有回答，他就把我扔到了地上。我闷哼了一声。

"这是什么？"

另外那个叫司默特的人，个子矮一些，瘦一些，也没有那么臭，但他完全就是一只精明的黄鼠狼。他绕着我转着圈，好像在找地方下嘴咬我。当他用穿着靴子的脚来踢我时，我抱住了他的脚。

他暴跳如雷，想要把我甩开。

"他是从哪儿来的？"他问。

"你从哪儿来的，小孩？"斯汀问我。

等我喘过气来，我给他们说了个大概的位置，不过因为害怕司昆廷已经告发了我，我并没有提到他和他的农场。

"你说的那个地方是松树沼泽，是吗？"斯汀说。

"就在那附近，"我承认了，"那是最近的一个镇。"

"那么，就跟我预料的一样，你是法官派来的了。"

"没有人派我来，"我对他说，"我不过是在树林里迷路了，就这样。"

"他在说谎。"司默特说着在我面前蹲下，盯着我的眼睛说，"你是法官的人，你就是。"

"我是荷马·菲戈。放开我的耳朵，疼。"

他俩都大笑起来。

"等我们把你的耳朵割下来，它就不会疼了。"司默特说着就去摸刀。

"抓着他的耳朵，"斯汀说，"割掉一只，他就听不见我们说话了。"

"那我就割他的舌头吧，"司默特说，"没有舌头他就不会说谎了。"

"荷马·菲戈，"斯汀捻着胡须说，"菲戈，菲戈，菲戈。先等等。我以前认识一个叫亨利·菲戈的人，他是你的亲戚吗？"

"他是我爸。"我对他说。

斯汀嘲弄地对我笑着，他身上的臭味熏得我眼泪直流，比洋葱催泪还厉害。"真的？"他说，"如果你真是他的亲戚，那你告诉我他是怎么死的。"

"是从树上掉下来摔死的。"我说。

"我真是不喜欢那个人，"斯汀心满意足地说，"他还以为他什么都懂，可是他不了解那棵树，对吗？"

斯汀抓着我穿过树林，来到他们靠着树枝搭起来的一个小窝棚。窝棚里有一个人，像猪一样被五花大绑着，头上还罩着一个装面粉的麻袋。

"最好把他也捆起来。"

司默特用生剥的牛筋捆了我的手和脚，斯汀则把老马鲍勃也拴了起来。

那个脑袋上罩着麻袋的人发出呜呜的声音，挣扎着想要挣脱出来。司默特踢了他一脚，那人立刻不动了，就像他整个身体都被装在麻袋里一样。

"还是这样好一点儿。"司默特对那个罩着麻袋的人说，"你最好像只耗子一样安静地待着，这样你还有可能看见明天的太阳。就快天亮了。"

司默特把注意力转向我。他蹲下来，咧开嘴巴笑着。他只有一颗牙齿，当他盯着我看的时候，他一直在用舌头顶那颗牙。他看着我的那个架势，就像一只癞蛤蟆在看一只苍蝇。"如果你真是从松树沼泽来的，你应该会认识那儿的法官，马斯顿先生。"

"我当然认识他，他把我哥哥给卖到军队里去了。"

司默特凶狠的小眼睛就像黑玻璃球一样闪了一下。"嗯，这听起来像是马斯顿会干的事。"他摸着下巴说，"那法官为了一桶泡菜都能把自己的亲妈给卖了。"

"请放我走吧。"我哀求着，尽量装得可怜一些。在当时那种情形下，装可怜不是件难事。

"我凭什么要放你走？"他问。

"如果你们放我走，我保证会重谢你们，我那个有钱的姨父一定会付给你们一百金币当酬金。"

司默特对这个主意很感兴趣。"你有一个有钱的姨父？他多有钱？"

"他是整个缅因州最有钱的人。三个县的森林和大多数的草场都是他的，他还有铁路、车子，还有机器。一百金币对他来说根本就不算什么。"

"啊——哈，那你在这片属于你姨父的树林里，到底在干什么呢？"

"我要赶在我哥哥在战场上丧命之前找到他。"

司默特觉得这事挺有意思，他说："你和你那个有钱的姨父打算出钱把你哥哥从联军那里买出来，是吗？我搜过你的口袋，小孩，你根本就没钱，一分钱都没有。你的马没有马鞍，你也没有穿鞋。你唯一拥有的就是一匹老得都快散架的马——那匹马现在归我们了，因为你给我们带来了麻烦。"

"那样你就变成偷马贼了。"我对他说。

司默特在我脸上扇了一巴掌，力道不算太大，刚好把我吓倒。"听听你是怎么称呼别人的！盗马贼可是要被绞死的。你管我叫贼，那你有什么文件可以证明那皮包骨头的马是你的？"

"是的，先生，我有很多很多的文件、证书和别人把马卖给我们时候的账单，还有所有权证明文书。"

"我猜，你把这些文件都藏在树林里了？"

"没有，先生，都放在我姨父开的银行的保险柜里了。"

"啊——哈，你真是一个出色的骗子，对吧，小孩？你看着我的眼睛，再说一次你真的有文件。"

我看着他的眼睛，说："我有文件。那是我的马，合理又合法！"

"嗯，真不错，别人可能就这样被你骗了，不过，我觉得这匹马应该是你从哪个可怜的农夫那里偷来的。"

"不是的，先生，这匹马是我爸爸的。他死后就留给了我亲爱的妈妈，妈妈去世了，这马应该是我和哥哥的。"

司默特点了点头，好像识破了我一直都在说谎。"你说是，那就是吧。别惦记那马了，小孩，想想你自己有什么用——要有用才能活下来。"斯汀说着到窝棚里去包扎他流血的手去了。

"那匹马居然咬了我一口。"斯汀大声地说，他有点儿吃惊。

"然后呢？你干了什么？"司默特问。

"我也咬了它一口。"

"你得当心点儿，斯汀，你居然咬马，那对你的牙齿可不好。"

斯汀嘲弄地说："你的牙就是那么掉光的吗？"

司默特并没有理会斯汀，他用舌头舔着仅剩的那颗牙，好像在考虑什么。"你咬马的时候，我想出来个主意。"他说，"我觉得我们可以利用一下这个小孩。"

"利用他？他小得连给自己挖个坟坑都不行。"

"确实不行，"他说，"不过，他是一个了不起的骗子啊，是不是，荷马·菲戈？"

我觉得我还是告诉他们真话的好，要不然他们就得让我给自己挖坟坑了。

"是的，先生，"我说，"我的确很会说谎。"

★ 7 ★
装在麻袋里的人

　　我曾经对松树沼泽教堂的里德牧师说，我的爸爸妈妈没有死，他们是去觐见维多利亚女王了，他们很快就会派人来接我和哈罗德。牧师对此印象非常深刻，一个五岁大的孩子居然知道女王的名字。更让他印象深刻的是，我告诉他有人出钱请我爸爸把英格兰所有的树都砍掉，而且在一周之内就要砍完。牧师说，他可没注意到大英帝国的树那么少。然后我告诉他，我爸爸只需要一斧子就能把一棵树砍倒，所以要是他心情好的话，他能在一个小时左右就砍完一片树林。在我爸爸收拾那些树的时候，我妈妈会在宫廷里教女王拼写单词。

　　里德牧师说，他很吃惊，女王陛下居然不会拼写。于是我解释说，那是因为现在的国王和女王们都不需要自己读书或者写字，他们的仆人会替他们做这些事。里德牧师说我知道这么多事情，在同龄的孩子里非常少见。其实不管是啥年纪，像我这样会胡诌的人都不多。

好心肠的牧师可能觉得我的那些胡诌还挺有意思的，可是我哥哥却不这样认为。他对我说，我们亲爱的妈妈曾让他发誓要永远诚实，他的誓言我也应该遵守，虽然我还小，不能自己宣誓，可是只要我撒一次谎，就会有一个天使从天堂坠落。

自从他对我说了这话，我就四处寻找坠落的天使，可一次也没遇到过。于是我开始觉得一定是我哥哥搞错了，虽然他对此深信不疑。尽管他对不可以撒谎有这么严格的要求，但我相信，只要我说的谎话是为了保存真相，他也是不会介意的。

当然，前提是我要知道他们打算让我撒什么谎。

司默特首先做的事情是逼着那个被抓住的人坐直。一个人脑袋上被罩着个麻袋，看起来真可怜。他看不见，所以不知道接下来会发生什么，即便是最微小的声音都会让他恐惧不已。黎明的光线已经照进了这个窝棚，我看见那个人被捆着的两只手都肿了。

"你偷听到我们说的话了，菲斯特？"司默特恶狠狠地说，"我数到三就把这麻袋砍掉！如果你不想你的脑袋也被砍下来的话，你最好把我们想知道的事告诉我们。"

司默特宽宽的皮带外面别着一把弧形的锋利的刀，那刀一下就能割断猪的喉咙，至于人就更不在话下了。他把闪着寒光的刀刃放到麻袋下面晃了晃，手腕一抖就把麻袋划破了。麻袋掉了下来，然后我看见了两只瞪得像杯子那么大的白白的眼珠，那眼珠衬得那人皮肤的颜色就像掺了奶油的咖啡。

"菲斯特是我们的黑朋友，是不是，菲斯特？"

白眼珠翻起来瞪着司默特，我看得出来，这个黑人很害怕，也很愤怒。"我不是菲斯特，"他说，"从来都不是。"

"我们说你是，你就是。"斯汀说着一拳打在那个人的脸上。

那个人被打蒙了，摇了摇脑袋，然后瞪着斯汀说："我的名字叫塞缪·里德，我是个自由人，我母亲也是个自由人，我是在罗得岛出生的。"

司默特握着那把刀，慢慢地蹲了下来。他笑了一下，那笑容真让我反胃。要是蛇能笑的话，那它的笑就是那样了。"这儿可不是罗得岛，"他说，"我可不关心到底是谁生了你，也不管你是从哪儿学来的这种疯狂的想法——觉得一个黑人能和白人相提并论。我们唯一关心的事情是，你把那些逃跑的奴隶藏到哪儿去了？"

"他们不是奴隶！"那个人坚定地说，"林肯总统已经把他们解放了。"

"是吗？那如果他们已经不再是奴隶了，他们还跑什么？"

那人不再说话。他一动也不动，仿佛是在希望太阳升起之前就能慷慨就义。或许他是在祈祷吧，虽然他没有出声。

"我看还是趁早收拾了他吧。"斯汀说。

"最后一次机会，"司默特用刀指着他，"要么老实交代，要么去见上帝。"

那个黑人轻轻地摇了摇头。你分明看得出他很怕那把刀，他也不想死，可是他绝对不会说出那些逃跑奴隶的藏身之处，即便是那刀会杀了他。

我也害怕那把刀，可是我嘴巴里的话管不住地往外冒，我不由自主地说："你们要是杀了他，那你们的钱可就打水漂了！"

"什么？"

司默特和斯汀都转向了我。

我说："这个人要是死了，就不能卖了。"

斯汀像是要打我，司默特拦住了他。"等等，"他说，"这个小孩说得对。我们可以轻松地伪造这个人的所有权文书，然后卖了他去领奖金。"

"奖金？"我一边问，一边琢磨着后面要怎么说才能让他不动刀。

"每抓到一个逃奴送回马里兰州，就能获得十美元奖金。"司默特对我说，"黑奴解放还没有涉及边境上的那些州，所以那儿的奖金是合法的。"

他们说的是《黑奴解放宣言》，我在杂货店听人们谈论过这个。每到星期六的下午，大伙都会在杂货店那儿抽烟卷，哑吧烟草。好像林肯总统在宣布废除联邦奴隶制的时候，还不敢解放一些边境州的奴隶，像马里兰州、特拉华州，还有肯塔基州，因为害怕这些州会加入反政府势力。废奴宣言听起来更像是一个在战争胜利后对未来的承诺，对于现在，没有用，尤其对一个奴隶来说，没有用。

司默特和斯汀嘀咕了几句，他们决定要留下这个黑人，直到"那个小孩"帮他们找到那些逃奴的藏身之处。"那个小孩"还得帮他们找到那条地下逃亡路线，"那个小孩"能帮他们发财。

恐惧一定会让人变笨，因为过了好一会儿我才意识到他们说的"那个小孩"就是我。

斯汀·穆林负责看管那个黑人塞缪·里德，而我和司默特则钻进松林里去寻找蛛丝马迹。

他在我的脖子上套了一根绳子，就像套住一头骡子或者一条狗那样，要是我往前冲，绳子就会收紧。

"你的身子挺灵活的，小孩，"他说，"不过，你要记住，你是逃不过我的刀的。"

为了证明这句话，他把刀扎到一棵树的树干上，用那锋利的刀刃在树干上画了一个方块。

我肯定能找到时机，趁他放松对我的看管时逃走，但这肯定得花上很长时间，所以现在，我得和他一起往前走，按他说的做。我们踏着松软的落叶穿过树林，空气中弥漫着杉树和松树的香气，地上的蕨藤有时会缠到我的膝盖上。

离开窝棚大概走了一英里后，我们终于发现了一些线索。那些痕迹看起来应该是马车刚碾过去不久。司默特捻着他那脏兮兮的胡须，兀自点着头，对我说："我们应该很快就能追上去，最好先想想一会儿你要怎么编瞎话。"

"我编瞎话？"

"你得冒充别人。把逃奴藏起来的那家人姓布鲁斯特，"他好像希望我把这个记住，"你听说过布鲁斯特宝石矿吗？"

我摇了摇头。

"没怎么听说，是吗？杰布迪·布鲁斯特是从宾夕法尼亚州来的，他靠做宝石生意发了财。现在他把铅和铜卖给军队，然后用那些钱把奴隶送到加拿大，一旦到了加拿大就没人能动那些奴隶了。我知道有三十个奴隶被那个老家伙藏在他的私人领地里，但是具体在哪儿我还不清楚，你得替我打听出来。"

"是，先生。"

"你要是敢跑的话，我们肯定会杀了那个黑人，然后卖了你的马，最后还要干掉你。"

"我保证不会跑。"

"你是个骗子，小孩，你的保证对我来说完全没有意义。"他说着咧嘴笑了一下，"唯一管用的保证是，如果你敢跑，我的刀会把你抓回来的。"

"是，先生。"

我们沿着那道痕迹又走了大概半英里，路面开始变陡，树也稀疏了，头顶上的天空变得更宽，阳光洒了下来。山脚下有一面修得很好的石头墙，墙壁笔直得就像学校里女老师用的尺子一样。在石头墙的那一边，有一座大大的房子就像一颗明珠，镶嵌在和缓的、绿色的、皇冠一样的小山上。那房子可真漂亮。那巨大的房子是用石头和砖建造的，屋前有几根白色的柱子，窗户上都挂着窗帘，屋顶上铺着深蓝色的瓦，每个屋角都有烟囱。

我幻想着要是在这样的屋子里生活，富裕又幸福，不用为任何事情操心，那叫我拿什么来交换都可以呀！就在这时，司默特突然使劲拽了一下我脖子上的绳子，说道："最好的谎话都是从真话开始的，小子。告诉他们你叫荷马·菲戈，你在找你哥哥，跟他们说你的马被偷了，跟他们说你很饿。"

司默特把绳子取下来，使劲地晃了我一下，好像是要确认这样我才会注意听他说什么。"听明白没有？听懂了就到那房子里去。"

"是，先生。"

"他们应该会直接带你去厨房。布鲁斯特家的厨子特别关心像你这样皮包骨头发育不良的小孩，他们会用饼干、奶油和蜂蜜把你喂饱。听起来不错吧？"

"是的，先生。"听起来确实很好。

"在厨房里工作的厨娘知道在那座房子里发生的所有事情，矿上的事情她也知道，你要做的就是睁大眼睛给我看，竖起耳朵给我听。"

"是，先生。"

"吃过晚餐你就找借口溜出来，到窝棚那儿去，我在那儿等你。"

我正准备再说"是，先生"，他却把手指头放在我的嘴唇上说："嘘，别对我撒谎，我知道你在想什么。你正在想怎么才能摆脱老司默特呢，在想怎么出卖我去换奶油和饼干。但你要搞清楚，如果你不回来找老司默特，那么司默特就会去找你。"

然后他就让我走了。

★ 8 ★
天堂的美味烤饼

我越来越靠近小山上的房子，那房子也显得越来越大。窗玻璃反射出那衬着蓝天飘动着的一朵朵白云，仿佛整个屋子也都在飘动。这种感觉就像我能觉察到地球在转动，我得小心翼翼才能放下我的脚步。眼前的景象让我晕眩，绿色的小山仿佛也变得越来越陡峭，终于，我一头栽倒在了草地上。

我是因为饿才晕倒的。那些关于饼干、奶油和蜂蜜的谈话提醒了我，让我意识到自从我狼吞虎咽吃下那片原本用来喂猪的面包片，然后哈罗德被卖到军队这件可怕的事情发生以后，我还什么都没有吃过。

软软的，软软的草地，让我忘记了饥饿，让我忘记了一切。

然后我就飘了起来。不对，不是飘，是有人把我抱了起来。我的耳边有像流水一样轻柔的说话声，接着我来到了一个温暖的地方，有人把杯子放在我嘴边叫我喝水。

"喝一小口。"那个声音说。有那么一阵，我觉得那一定是我亲爱的妈妈，于是我睁开了眼睛。一双大大的灰眼睛正注视着我，大大的灰眼睛，红润的脸颊，梳得妥妥帖帖的白发外面包着头巾。"这是火鸡汤，"她说，"能让你好受点儿。"

那位长着灰眼睛的女士扶着我坐起来，她端着杯子喂我喝汤。我从来没有吃过这么好吃的东西，我感受到了前所未有的温暖、安全和活着的感觉。

"你知道你在哪儿吗？"她问我。

"在大房子里。"我说。

"是布鲁斯特家的房子。"她解释说，"我是比恩太太。"

"布鲁斯特，比恩……"我喃喃自语道。

"我是这里的厨娘。"她温柔地说，"如果他们在前院发现饿坏了的孩子，一般都会把他带到我这儿来。"

我喝光了汤。比恩太太拿着空杯子说还有时，我终于清醒了过来。她把胖胖的手臂圈在胸前，斜着眼睛看着我，好像要看进我的脑袋里去。"你是迷路了吗，孩子？还是你饿晕了才来这儿的？"

我深深地吸了口气，让脑袋清醒一点儿。然后我按照司默特所交代的，告诉了她我是谁，我在找我的哥哥，我的马被偷了。不过我没说我具体是从什么地方来的，这样就不会有人去给司昆廷报信了。

似乎我说的话比恩太太都相信了，因为她开始点头，还说："噢，天哪，天哪。"于是我决定要为我失踪的哥哥流几滴眼泪，这样她就会真正地相信我。然后她拥抱了我，轻轻拍着我的头，跟我说布鲁斯特先生一定会帮我找到哈罗德的。

"只要布鲁斯特先生打定主意要干什么事，那你就瞧好吧！"她一边撢着白围裙，一边大声地说，"布鲁斯特先生一会儿就回来了，你把刚才跟我说的事原原本本再给他说一遍。孤儿寻找哥哥，这事会让他上心的。"

过了一会儿，比恩太太开始给我弄东西吃。她问我是要吃一盘酱汁肉片，还是吃烤饼和培根。我选了烤饼。培根在大大的平底煎锅里嗞嗞作响，我亲爱的妈妈管这种煎锅叫"蜘蛛"。我坐在火炉旁边看着。观察比恩太太很有意思，她那白白胖胖的手在屋子里就像白色的鸟儿一样到处挥舞，不停地从橱柜里，从各种调料罐子里，还有食品柜里拿这个、拿那个。

"我一眼就看见你没有鞋子，"她一边说一边往一个蓝色的大碗里撒面粉，"是在来这儿的路上弄丢了吗？"

我觉得今天说的实话已经够多了，于是我说："是的，夫人。那是一双漂亮的靴子，用响尾蛇的皮做的。"

　　"响尾蛇！噢，天哪！"

　　"是的，夫人。当那条蛇把我逼得走投无路的时候，哈罗德把它给杀死了。那条蛇还想喷毒液弄瞎哈罗德的眼睛，可是哈罗德身手敏捷，一下子就把蛇的脖子捏断了。"

　　"太神奇啦，"她说，"蛇居然还有脖子。"

　　"有三十英尺长呢！"

　　比恩太太点了点头，碗里的面粉溅了一些出来。"然后你哥哥剥下了蛇皮给你做了双靴子，你是不是想这么说啊？"

　　我想了一下，觉得一切都还正常，于是就说："也不全对。事实是，哈罗德剥了蛇皮，我自己做了靴子。我还做了一条皮带，这两样东西把蛇皮都用光了。"

　　"你说有人偷了你的马，你的马叫什么来着？什么国王还是别的什么？"

　　"鲍勃王子。鲍勃是匹纯种赛马，今年三岁，跑起来比蜜蜂蜇人的速度还快。"

　　"真了不起。"比恩太太说，"你说你是从哪儿来的？"

　　"噢，北边，"我含含糊糊地说，"一个不值一提的小地方。"

　　"好吧，可是总得有个名字吧，对吗？每个地方都有名字，不管多小的地方。"

"司默特。"我灵机一动，告诉了她这个名字。

"什么？"

"司默特，大家都这么叫。应该是在沼泽附近。"

我真庆幸自己没用斯汀的名字。斯汀听起来太不像真的了，不过司默特还可以，司默特这个名字比较少见。

"我还从来没有听说过司默特这个地方。"比恩太太一边说着，一边用那双灰眼睛看着我，"虽然我知道缅因州每一个村庄的名字，可我从来都没有听说过司默特。"

我几乎脱口而出司默特也没有听说过她，幸好没说出来。一想到能吃到烤饼了，我不禁变得有点儿油嘴滑舌，管不住嘴巴。

我闭上嘴，看着比恩太太在厨房里忙这忙那。这间厨房比司昆廷的整个房子都大，有一个炒菜用的炉子，一个烤饼用的炉子，还有一个装着荷兰式炉灶的完整的壁炉。食品柜里的罐头比松树沼泽杂货店里的还多。还有三个下沉式的水槽，一个用来洗碗，一个用来淘菜，另外一个我也不知道是用来干吗的。橱柜的前面放着一排一排的玻璃罐子和大大小小的调料瓶，橱柜的台面是用枫叶岩做的。还有一个装黄油的大缸，比恩太太说那个大缸是属于一个博物馆的。然后就是抽屉：大抽屉、小抽屉、装面包的抽屉、装刀的抽屉、放抹布的抽屉，还有别的放各种杂物的抽屉。

比恩太太让我好好地坐着等烤饼和培根，别再不停地开关那些抽屉。她拖出一把椅子，让我坐在餐桌前。餐桌上放着一个大大的白色瓷盘，瓷盘里盛着一沓烤饼。这一切都只在我的梦里出现过，司昆廷给我吃过的东西，除了馊面包就是发酸的糖水。烤饼上抹上了黄油，放在松枝上又烤了烤。

我觉得可能是司默特已经把我给杀死了吧，因为我现在就像是在天堂里。又或者是因为我还是很饿，所以还不太清醒。后来我发觉，我之所以感觉那么美妙，是因为烤饼的香味而不是因为我身在天堂——我没有看见云彩，也没有看见头顶金色光环扇动着翅膀的天使。而且，如果这是天堂的话，上帝也应该在这里吧，不是吗？

就在这时，上帝从客厅走了过来，穿着一身黑色的衣服。那一定是上帝。

★ 9 ★
教友的谈话

那个看起来像上帝一样的先生就是这房子的主人，杰布迪·布鲁斯特。他长着长长的白胡子，有一双蓝色的富有洞察力的眼睛。他的声音浑厚有力，震得桌上的瓷盘都抖了一下。"你好啊！"他这一声招呼让我大脑都无法思考了，连最简单的问题，像是"孩子，你叫什么名字？""你的家在哪儿？"这种问题我都回答不出来了。

接下来就是教友之间的谈话了。

"这个小滑头说他叫荷马，是从一个叫司默特的地方来的。"比恩太太下了一个结论，"他说的话里，除了他饿是真的，别的都是假的。"

"司默特，是吗？很有意思。"布鲁斯特先生用他那温和的方式说，"每个上帝的子民都来自于某个地方，具体的位置并不重要。不管你是谁，也不管你是因为什么来这儿，欢迎你来到这所房子，荷马。"

布鲁斯特先生在餐桌前坐下，理了理他那黑色的袖子，然后说能不能请比恩太太给他倒一杯冰水。他向她说了谢谢，双手接过杯子，分三口喝完了那杯水。他那大大的喉结在白胡子下面一动一动地，你甚至可以听见水咽进去的声音，就像是用手摇泵抽水的声音一样。

"这是最好喝的春天的泉水。"他说着，小心地用亚麻手绢把胡子上的水擦干净，"就是为了这水我才来这儿的，又纯净又冰爽的春天的泉水，里面含有最丰富的矿物质，可以让肠道保持健康，还可以净化血液。我本想把它像长命百岁的灵药一样用瓶子装起来，按滴来卖，但是在挖泉水的过程中我们挖到了宝石，于是我就变成了宝石商人。上帝总是给人无限惊喜。"

布鲁斯特先生把他那双有着修长手指的手握起来，像是在祷告的样子，然后他端详了我一会儿，仿佛他是在看着我的灵魂——如果我还有灵魂的话——想知道我想要什么。这样的端详让我坐立不安，可我还是尽量控制住不乱动。他和比恩太太都在等着我再说谎，我能感觉得到。

"关于宝石，你知道些什么呢，荷马？"布鲁斯特先生问我，他的语气非常甜蜜。

我真想对他说，我有一个三表哥，名字叫格迪斯·麦塔威，他一辈子都在做宝石生意。最近他从黑胡子海盗的遗孀那里得到了一颗世界上最大的红宝石，可是那颗红宝石是被诅咒过的。自从他得到了那颗红宝石，可怜的麦塔威就一直生活在恐惧中。他把自己关在地牢里，他觉得那颗红宝石在用幽灵的声音给他讲述它所诅咒的一切。可是因为我没有一个叫格迪斯·麦塔威的表哥——其实我压根儿就没有表哥——所以我闭紧嘴巴什么都没说，然后就有人催我说话了。

　　"他居然安静了，"比恩太太非常怀疑地看着我，"可能他要饿了才会说话吧。"

　　布鲁斯特先生深吸了一口气，然后他仿佛满足了似的点点头，说："荷马·菲戈，你也许是个单纯的陌生人，也许是我的对头派来的探子，不过有一件事情我很清楚：上帝在掌握着一切，而上帝是不会让我们对一个饥饿的孩子不管不顾的。"

　　比恩太太冲我微笑着耸了耸肩，我意识到她一点儿都没有为布鲁斯特先生做的事感到吃惊。

　　"跟我来，孩子。"他说着站了起来，"我带你去看布鲁斯特宝石矿的秘密。"

　　"那孩子得洗个澡，"比恩太太提醒道，"我真怀疑他这一年到底洗过澡没有。也许从去年就没洗过。"

"先带他去看看宝石矿再洗吧。"布鲁斯特先生说着在我肩膀上拍了拍，"等我带他去看完我的矿，你把他搓出血都没关系。"

我希望最后那句还是一句教友间的谈话，可是比恩太太的眼睛里明明有狡黠的笑意。在我还没有考虑好怎么逃跑的时候，布鲁斯特先生就带着我出了门，来到了那片长长的草地上。我们爬上了小山。离开那所房子，离开温暖的厨房，空气变得如此清冷，让我稍微有点儿喘不过气。

很快我们就来到了一条路旁，那是一条被马车轮子碾出来的路，铺上了生锈的铁轨，用铁钉固定在山坡上。我们沿着铁轨走。在路的转角处，我隐隐听见细小的水流声，但是山里的声音肯定都不太真实，因为我压根就没有看见水。

一路上布鲁斯特先生浑厚的说话声就没有停过，我觉得他没有打算对我保密，因为要保密就有可能要说谎，而我认为布鲁斯特先生这一辈子肯定都没说过谎。这让我想起了我的哥哥哈罗德，他可能已经在去战场的路上了，这种担忧让我没法集中精力听布鲁斯特先生说那些关于宝石和矿的事情，以及上帝为什么把我们创造出来，他究竟要怎么考验我们。

"我本是想找延年益寿的水，可是谁知道我找到了'彩虹'。"他说，"不是金子，而是一处碧玺矿，有彩虹上的所有颜色。"

碧玺，这个词我听起来像是个人名，肯定有什么原因让我这样认为。可是布鲁斯特先生解释说碧玺是一种宝石，是用来制作珠宝首饰的。经过打磨以后，它会闪闪发光，采用不同的切割方法，它的光芒可以像钻石，像红宝石，也可以像绿宝石。

"碧玺为我带来了巨大的财富，"他说，"可是它没有给我带来智慧和出路。是上帝赐予了我智慧，弗里德里克·道格拉斯给我指明了道路。"

他还没有说完，我们就来到了矿上。我本来以为我会看见一条挖得很好的隧道直接通到山里去，就像我在故事书里看到的一样，可是布鲁斯特先生的矿看起来更像是一个巨大的坑。往下看，可以看到糊满了泥巴的锡纸屋顶，还有一些看上去摇摇欲坠的窝棚，矿工就住在里面。他们把石头从土里挖出来，再切割原石。现在那里没有矿工在工作，一个人都没有。

布鲁斯特先生带着我沿着一条狭窄的小路下到了空空如也的矿坑里。

"这就是布鲁斯特矿的秘密。"他说得非常愉快，"两年前当战争开始的时候，我们就减少了产量。"

"可是为什么这就是秘密呢？"我问。

"因为矿井依然充满了活力。"他神神秘秘地说，"大家会很容易认为人类的活动是和矿产息息相关的。大家都觉得我在给联军提供铅和铜，其实不是，我向上帝祈求原谅，因为我没有纠正人们的这种误解，因为我的不诚实是为了做另外一件更大的好事。"

生平第一次，我自愿闭上嘴，期待着他接着往下讲，无论讲什么都可以。我敢肯定，他一定会说在这个矿井的某处，藏着那些逃奴，就像司默特告诉我的一样。但是我应该是不知道这些的，所以我已经准备好当布鲁斯特先生说出来的时候我要表示出惊讶。

可是他却没有说出来。

布鲁斯特先生伸出他的长胳膊搂住了我的肩膀，好像他知道我随时都会说出点儿什么一样。他放低了声音，几乎是说悄悄话一样，说："埃宾泽·司默特在我们这一带臭名昭著。"他接着说："司默特先生经常和威廉·穆林在一起——人们通常叫他斯汀。我之所以告诉你这些，是因为你告诉比恩太太你是从一个叫司默特的地方逃过来的。就我所知，根本就没有这个地方。所以我确定，你和杀人犯司默特还有他那个可恶的同党是一伙的。"

我下定决心绝不开口，可是杰布迪·布鲁斯特先生却把话从我嘴巴里撬了出来。

★10★
当河流像婴儿般哭泣

哈罗德以前给我讲过一个故事，故事里的那个人可以看透别人的心思。比如，你在心里默念一个数字，他就能从一副牌里把那个数字抽出来。他可以在你思考之前就知道你在想什么，他知道姨妈玛德琳的生日，知道哥哥拥有多少匹马。如果你想要的话，他还可以给你变出抹了黄油的苹果派。最后大家用沥青和羽毛让他现了形，于是他坐着火车离开了小镇，这是故事里最精彩的一部分。

我在想杰布迪·布鲁斯特先生是不是也有读心术。难道不是吗？就凭那一个不小心说出来的名字，他就几乎推断出了所有的事情。好像不是只有"司默特"这个名字被听见了，而是司默特本人就在面前。

"司默特先生曾经跟踪过我们，"布鲁斯特先生接着温和地说，他用深邃的蓝眼睛环顾着四周的小山，"可能他觉得自己够聪明了，可是我们仁慈的上帝赐予了我一双鹰的眼睛。那不是一只肮脏的老黄鼠狼，那是埃宾泽·司默特，他在岩石后面躲躲藏藏，身上的衣服是泥土的颜色，可我还是发现了他。是的，我看见他了。"

"是他叫我来的，"我尽力说了出来，"是他叫我来这儿的，还教我说了瞎话。"

布鲁斯特先生和比恩太太都那么善良，当我不得不承认我是来刺探他们的时候，我都想哭了。

"也许是他派你来的，也许不是，"布鲁斯特先生这样说，不过并没有发火，"这都没关系，我们的策略不会改变。让他们——司默特和他的同伙——继续监视我们。他们做的这些恶事，最后会有报应的。"

"他们抓了一个黑人，"我迫不及待地想弥补我的罪过，于是我告诉他这件事情，"我想他们要杀了他，或者把他当奴隶卖了。"

布鲁斯特先生用眼角的余光看了我一眼，目光却并没有从小山处收回来。"'黑人'这个词不太合适，"他非常严厉地说，"如果一个人的肤色比较黑，请说他是有色人种或者非洲人。总之，不要特别强调他的肤色。上帝会介意我们是粉红色还是棕色的吗？上帝不会。"

"他们用麻袋套住了他的脑袋，"我继续说，"就是那个有色人种。”

“他应该是列车员塞缪·里德先生。”布鲁斯特先生说着看向了另一边，“两天前，他带着一群追求自由的奴隶逃跑的时候被抓住了，我们一直在找他。”

我还以为他所说的那位有色的列车员先生是在火车上工作，负责收票的，可是布鲁斯特先生说的是地下铁路逃亡路线，跟我想的完全是两码事。他对我解释说地下铁路逃亡路线没有真正的铁路，但是他们有列车员，负责一站一站掩护那些逃跑的奴隶。每一个站要么是座房子，要么是某个隐蔽的地点。有可能是个地窖，一个窝棚，或者一个矿井，总之他们沿途会利用一切可以利用的地方一直向北前进，把那些在法律上已经被解放了的奴隶护送到加拿大。

“已经有数千人使用过这条路线了，”他说，“他们在这个站获得了安全，还有很多人也愿意到这个站来。之所以大家能够获得自由，正是因为有了像塞缪·里德一样甘愿牺牲自己自由的人。而像穆林和司默特那样的人，永远只会躲在阴暗的地方窥探，急不可耐地要为了几个银币就出卖别人。人为了钱财做出的种种恶行让我吃惊不已。你和这些人一样吗，荷马·菲戈？你告诉我实话，因为如果你撒谎的话我听得出来。”

我觉得对杰布迪·布鲁斯特撒谎就像对上帝撒谎一

样——他们中的任何一个你都糊弄不了——于是我告诉了他我是怎样在树林里遇到了斯汀和司默特，他们是怎么抢了我的马，又是怎么把我关了起来。我还说了司默特会在晚上等着我回去，他想要知道那些逃奴的藏身之处。

布鲁斯特先生点了点头："和我猜测的一样。跟我来，荷马，回到屋子里去，假装我们不知道司默特正在偷看我们。今天晚餐后，你就按我说的回去给他汇报。"

"我该怎么对他说呢？"我问。布鲁斯特先生的微笑生涩冷酷得像钻石一样。"告诉他真相，"他说，"只有说真话他才能放了你。"

好久好久，天还没黑，仿佛有人在天上钉住了太阳来故意折磨我。因为在这世上，我最不愿意做的事情就是和埃宾泽·司默特面对面。他有可能会把我抓走，虽然布鲁斯特先生说让我告诉他实话，但是我不知道他听了实话以后会怎么做，说实在的，我确实不知道夜幕真的降临后会发生什么事情。

布鲁斯特先生平静得像一座古老的白色的高山，在等待着风迎面扑来。他一点儿都不慌张，仿佛等待就是他唯一想做的事情。

"我在公谊会里受到了称赞，那些人就是你们所称的辉格党人。"他说这话时盯着我看，像极了一只大大的长满髯毛的谷仓猫头鹰。

我们站在屋旁的回廊里，面对着向西延伸的起伏的小山，每一处阴影看起来都像是要把我抓走的坏人。在又大又温暖的厨房里，比恩太太在准备晚餐。牛肉和土豆的香味飘到门廊，让我的喉咙发紧，好像咽不进东西，好像还有些肥肉卡在我的喉咙里。

"公谊会的人认为没有人应该被别人奴役，"布鲁斯特先生接着说，"我们也深信没有人有权去杀害别人，即便是在战争中，也无论那场战争有多么正义。我没有上战场的资格，所以我必须找到另外一条通往正义的道路。而这条道路，就在这里。"他说着用拳头重重地砸在他的摇椅上。

杰布迪·布鲁斯特站起身来，看起来是那么伟岸，他握住了我的手。

"跟我来，荷马·菲戈，有个地方你一定得看看。"

他带我来到地下室的一扇门前。我以为他会像司昆廷那样把我关起来再扔掉钥匙，只不过布鲁斯特家的地窖墙壁上没有石头。

"别害怕，"他说，"我不会伤害你的。"

他点燃了一盏灯，然后推开了地下室的门。从下面闪出了其他灯的光线，还隐约听见有人在低语，就像深深的河水流淌过的声音。

那是一条深深的、如婴儿在哭泣般的河流。

★ 11 ★
黄鼠狼来了

布鲁斯特先生家的地下室完全就是另外一个世界。起码有二十个人藏在那里，其中还有两个用毯子裹着的婴儿。这是两个或者三个正在逃亡路上、奔向新生活的家庭。在他们从马里兰州逃出来的这一路上，那些抓逃奴的人一直在追查他们的足迹。逃奴们都很瘦，看起来又饿又怕，地面上的任何声音都让他们心惊肉跳——不管是比恩太太在厨房地板上走动时发出的嘎吱嘎吱的声音，风吹动窗户的声音，还是屋檐下那只悲伤的鸽子发出的哀鸣声——任何一点儿声响都让他们紧张和恐惧。

布鲁斯特先生说那种恐惧一直附着在逃奴们的心头，除非是安全越过加拿大的边境线，再也没有人会去抓他们，否则那恐惧是根本无法驱除的。他们当中有些人已经逃跑了不止一次了，最后却总是被那些抓逃奴的人给抓回去。对于这群人来说，这次的情况更加糟糕，因为他们勇敢的列车员塞缪·里德失踪了。他们觉得，既然这事能发生在列车员的身上，当然也就可能发生在他们自己身上。

如果斯汀和司默特知道了他们的逃跑路线，那么，他们担心的事情就真的会发生。

"我能做的仅仅是给他们提供一个或者是两个晚上的庇护，"布鲁斯特先生解释说，"真正危险的工作都是由像里德先生那样的人完成的。"

地下室里的物资很齐全，地上铺着地毯，还有一列一列的上下床，食物充足。另外还有特别的隔板可以挡住地下室的灯光不被外面发现。这比当初我和哈罗德住的谷仓好多了。可是不管布鲁斯特先生把这里布置得有多好，这里始终都是一个地牢，只是没有锁和铁链罢了。你从空气当中就可以感受到，他们想出去，不想待在这个地方，不想待在任何让他们觉得恐惧的地方。

"我倒是希望在我自己的家里像款待贵客一样款待这些人，可是如果我这样做了，会有很多人想要把我们给烧死。"布鲁斯特先生说着，把我带出了地下室，"把我们烧得一干二净，他们干得出来！你不觉得那些逃奴很害怕吗？他们的那种害怕，跟白人害怕黑人的那种怕完全不是一回事。那些打着反对奴隶制旗号的所谓废奴主义者们，他们不允许有色人种在教堂祈祷的时候穿白色的衣服，他们觉得明亮的白色和黑色混在一起不干净。"

"他们怎么才能到达自己想去的地方呢？"我问。

"就像他们到这里来一样。"他说，"步行或者乘马车，大多数时候都是步行。因为到处都有追捕逃奴的眼线，所以他们只能在晚上，趁着夜色赶路。尤其是云厚又没有月亮的晚上，比如今晚。"

他没有明确地说出来，不过我明白他的意思是那些逃奴会在今晚行动。

"我该怎么做？"我问。

布鲁斯特先生带我到厨房坐下，比恩太太已经在桌上摆上了几盘热气腾腾的牛肉和土豆，上面还浇着浓浓的肉汁。

我还从来没有用这样的盘子吃过东西——事实上，司昆廷吃饭很少用盘子——可是刚才在地下室里见到的景象让我没了胃口。那些男人、女人、小孩以及婴儿，都是从奴隶主那里逃出来的，奴隶主可以把他们用铁链子拴起来，像对待牲口一样，把他们随意拿来买卖。这不禁让我想起我有多么仇恨司昆廷，他把我和哈罗德关起来，用他的皮带抽我们，还把哈罗德当成他所拥有的物件一样卖给了军队。

"找把枪！"我急切地对布鲁斯特先生说。

他摇了摇他那聪明的满是白发的脑袋，说："这个我做不到，因为我发誓要用和平的方式解决。"

"比恩太太，快跟他说，找把枪呀！"我喊着。

比恩太太先是哈哈笑起来，然后对我苦笑着说："好几年前就没有枪啦，"她说，"他的信念是不会动摇的。"

"既然不用枪，那你告诉我该怎么做？"我恳求着。

他深深地叹了口气，几乎把窗子都震响了。"你必须下定决心。"然后他说，"不过我已经说了不少了，总结起来就一句话：人的一生无非两种选择，要么明哲保身，要么轰轰烈烈。"

"那是什么意思呢？"

"意思是，如果你什么都不做，你也可以待在这个房子里。你将是安全的，有人照顾你，而且永远都不会挨饿。比恩太太可以看着办。可如果你想做点什么，你可以选择为司默特和他的同伙助纣为虐，或者是帮助这些想逃脱枷锁的人。"

"这不公平！"比恩太太一边挥着舀肉汁的勺子，一边责怪布鲁斯特先生，"他还是个孩子，是个瘦得皮包骨头的孩子！"

"我知道，"布鲁斯特先生说，他的声音听起来有点儿后悔，"可是有那么多孩子都在这场残酷的战争中战斗，一些孩子被奴役，另外一些孩子则奴役别人。没有人可以逃避战争，每个人都要下定决心。"

"既然你不用枪，那你给我一把枪吧。"我请求他。

"这所房子里没有枪，完成不了你的心愿。"

我摇了摇头。我觉得杰布迪·布鲁斯特一定是疯了，好像上帝本人疯了一样。那种疯狂的感觉就像是瘟疫和鼠疫，像爸爸摔下来的那棵树，像亲爱的妈妈那么年轻就离开人世，还像司昆廷的邪恶。我的脑袋里全是问题，我一分钟都不能再忍受了，我居然得做那么重要的决定，这些决定留给上帝或是布鲁斯特先生来做不是更好吗？

"你去哪儿？"当我从桌前站起来的时候，比恩太太大声地问，"你要干什么？"

我什么也没说就跑了出去，朝着那黑漆漆的夜色里跑去，在那儿，司默特在等着我，司默特手里有刀，或者是一把枪。我也不知道该怎么办，一点儿头绪都没有。

不过有一件事情我很清楚：我不能什么都不做，袖手旁观不该是人生的选择。

★12★
泥地里的门

布鲁斯特先生家的厕所整理得比司昆廷的家还要好，而且也差不多大。周围的树木被修剪得整整齐齐，厕所被刷成白色，厕所门上有块半圆形的镂空。这个厕所真文明，我和哈罗德必须上厕所的时候会去谷仓后面的那条阴沟，这个厕所可比那里好多了。

我都快要走到厕所门口了，突然一只黑乎乎的手捂住了我的嘴巴，把我拖到了厕所后面的阴暗处。

跟我估计的一样，是司默特，还有他的刀。

"晚上好，小子。"他小声地说着，那双阴险的小眼睛瞟向了大房子，"要是你敢叫，我就割断你的喉咙，把你的尸体扔到粪坑里。听懂了就点头。"

我点了头，司默特咧嘴笑着冲我露出了他的牙。

"他们把你给喂肥了吧？关心你了？希望你享受得愉快，小子。我也希望你留神打听了，因为要是你不能告诉我那些逃奴藏在哪儿的话，荷马·菲戈也就没有什么活着的价值了。那样的话最好自己跳到粪坑里去，省得我麻烦。"

自打我从房子里跑出来，我的脑子就在不停地转，我想编出一个谎话，可以救我自己，也可以救那些逃奴，还有布鲁斯特先生。就在司默特要把刀扎进我的肋骨那千钧一发之际，我的脑袋里灵光一闪有了主意。我也不知道这个谎话是不是有足够的说服力，但那是我在这一刻唯一能想到的了。

"宝石！"我大声喊，"碧玺！"

"小声点儿，小子。"他嘘了我。

"在宝石矿，"我对他说，"他们藏在那个旧碧玺矿井里。"

那只肮脏的手紧紧地卡住了我的脖子。"宝石矿？谁告诉你的，是厨娘还是那个老家伙？"

"他带我去的。"他的手越来越使劲，我一边说一边喘着气。

"你说他带你去了宝石矿，还告诉你他把那些奴隶藏在什么地方？你指望我相信你说的话？"

我之所以会这么编谎话，是因为司默特不知道我们发现了他监视我和布鲁斯特先生去过宝石矿。最好的谎话中必须有一部分是真话，这是司默特说的。我以前跟别人说我亲爱的爸爸是从一棵树上摔下来死掉的，那棵树有一英里那么高，这个谎话都要把我的哥哥哈罗德逼疯了。树是真的，可是有一英里那么高是假的。哈罗德说，说话半真半假更不像话。

从司默特的眼神里我可以判断出，他正极力想抓住我撒谎的蛛丝马迹，可是到目前为止还没有发现，因为他知道布鲁斯特先生确实带我去过宝石矿。

"那地方的每一个角落我都查看过，"司默特充满怀疑地说，"可是我没看见有逃奴，也没发现任何可以让他们藏身的地方。"

"有个窝棚，棚顶是涂满稀泥的锡箔，"我一边说，一边编，"在那个窝棚里有一条秘密通道。"

"那个窝棚里除了泥巴地和石头没有别的。"他怀疑地说。

"在土下面。"我说，"在泥巴地下面有一扇门，布鲁斯特先生没让我下去，可是他用脚把那扇门勾开了，我看见了下面的楼梯。"

"泥巴地里的洞口并不能说明什么问题，"他说，"那是一个宝石矿，泥巴地里本来就有很多矿洞。"

"我听见有婴儿的哭声。"我说。

这个引起了他的注意，也许他知道在逃奴中有一个或者两个孩子。"你是说，孩子的哭声？"

"是的，先生。"

他拿刀的手又加重了力道，只要再稍一使劲，就要把我戳出血了。"现在跟我说实话。为什么像杰布迪·布鲁斯特那样的人要带你去看逃奴的藏身之处？为什么他会相信像你这样一个谎话精？"

"他说让我选，是愿意帮他还是自己离开。"

司默特皱了下脸，点着头说："这听起来倒像是那个辉格党傻子说的话。"

"所以，现在你知道了，对吗？"

"也许知道了，也许没有。"

"我已经告诉你你想知道的了，把我的马还给我。"

他听完大笑起来。"现在它是我的马，你贱命一条用不着骑马。"

"你答应过要放了我的，"我接着说，"我必须在我哥哥上战场之前找到他。"

在黑漆漆的夜里，司默特看起来就像是一个长着一颗龅牙的鬼影子，咧着嘴冲我嘲弄地笑着。"那个不算。我告诉你，就像我说过的一样，我有可能会让你活命。不过仅仅是可能，小子。你带我去找那扇门，让我看看是不是有人在撒谎，会不会有人得去死。"

然后他往我嘴巴里塞了一块破布，又用绳子捆住我的双手，拖着我往黑暗里走去。

　　我和哥哥最开始和我们的姨父司昆廷·里奇一起生活的时候，我还很小。那时候我最怕黑，可是比黑暗更让我害怕的是哈罗德会离开我。我们的爸爸已经死了，亲爱的妈妈也走了，我总觉得哈罗德也会离我而去，留下我孤身一人活在这世上。我总是吓得从睡梦中哭醒，害怕得不能自已。为了安慰我，哈罗德就给我讲强盗和印第安人的故事。强盗和印第安人想要抓住我们，可无论他们多努力都抓不到。在哈罗德的故事里，他总是把我讲成最后拯救我们的英雄。我戏弄那些强盗，然后我们逃跑。要不然就是我告诉他怎么躲过那些印第安人，然后他夸我如何聪明勇敢。不过那都是在他的故事里，不是真的。

　　哈罗德从来不相信有强盗，他觉得没有真正的强盗。松树沼泽唯一的一个印第安人在伐木场当伐木工。他编这些故事，只是为了让我感觉到安全。我们从来没有讲过像埃宾泽·司默特这样的人的故事，因为我们不知道世界上真的有这么坏的人。这个坏人像对畜生一样伤害无辜的人，还在黑暗中拖着一个小孩，威胁着要杀了他。

　　要是这世上还有比最可怕的噩梦还可怕、比埃宾泽·司默特更让人恐惧的事情的话，就莫过于他的同伙斯汀·穆林了，而他正躲在树林里等着。

我们一到树林里，斯汀就拽过拴着我的绳子，把我甩到地上，狠狠踢了我几脚。

"你别想打坏主意，"他心满意足地说，"这是给你的教训。"然后他扯掉塞在我嘴里的破布，擦了擦他那空荡荡的眼眶。幸好他决定要留下那块破布，把它塞进了他的口袋。

"那些人藏在哪儿？"他问司默特，"这小子找到了没？"

"他说他们藏在宝石矿，在一条秘密的隧道里。"

"你不会真的相信他吧？"

"在我亲眼看见之前，我什么都不相信。菲斯特在哪儿？"

"在窝棚里，捆得像只火鸡似的。"斯汀说着阴森森地笑了，"那个黑鬼吓得动都不敢动，更别说逃跑了。"

我不知道为什么他们要管塞缪·里德——那位列车员，叫菲斯特。我只知道如果他们识破了我的谎话，列车员和我都活不了。我得想出一个更像样的谎话，要让我俩重获自由。

"他们今天晚上就要行动？"斯汀问我，还用靴子一直踢我。

我点点头，他们立刻拖着我又往前走去。天上没有月亮，仅有的几颗星星透过厚厚的云层隐约闪着光，可是这两个坏人却认得路。沿着马车的印子，不一会儿，我们就来到了通往宝石矿的那条小路。夜更黑了，黑暗铺天盖地罩下来让人无法呼吸，我脚下的路又硬又硌脚。

突然，司默特举起手示意我们停下："听见没有？"

我们身旁的小山上有砂石滚落的声音。

"这里的土石不稳，总会有砂石滑落。"斯汀说，"而且矿上还有些野兽。"

"那边有东西，"司默特说，"是活的。"

"可能是臭鼬或者浣熊吧？"斯汀大笑起来，"你在害怕什么？"

"没什么。"

"你是在害怕那个手无缚鸡之力的辉格党老家伙？害怕一群吓得要死的黑鬼？"

"闭嘴。"

很奇怪，越靠近宝石矿，我越感觉平静。不过平静也没有什么意义，因为我还不知道要是他们没有在泥地下面看见我胡诌的那扇门，我应该怎么应付。也许那种平静跟一个人快要被枪决或者即将被绞死时的平静是一回事吧。你感觉到平静，只是因为不用再等了，已经怕得没有力气再怕了。

我和死刑犯唯一的区别就是，天很黑，我用不着被戴上眼罩。

　　我们终于走到了那个有锡顶的破窝棚，那里空荡荡的，连个鬼都没有。

　　斯汀把拴着我的绳子收紧了些。他真臭，就连粪坑、烂鸡蛋，甚至死猫都没有他臭。

　　"不用等了，"他一边对司默特说一边拔出了刀，"那些逃奴要么在这儿，要么不在。不管在不在，荷马·菲戈都没用了。"

　　我正在想我是该闭上眼睛还是不闭，突然之间黑暗中闪出了一个人影。

　　塞缪·里德，他挣脱了绳索！他挥起一根六英尺长的铁棍，像挥棒球棍一样打在了斯汀·穆林的身上——本垒打！

★ 13 ★
载满希望的马车

最开始的那一阵猛击让斯汀像一口袋臭烘烘的土豆似的趴下了，他的身体变冷，不再动弹。

如果我是埃宾泽·司默特，看见我的同伙落得如此下场，我肯定会立刻逃命，但是老司默特居然一动不动。

"把那个凶器放下！"他尖叫着，"我是合法关押你的！"

司默特弯下腰准备反击，他拿着那把大刀一通乱刺，企图寻一个突破口，但是他没有办法靠近塞缪·里德，也没法用他的刀刺到塞缪·里德。

里德一句话也没说。那根挥舞着的铁棒在他手里轻得就像根树枝，铁棒划过空气的声音听起来就像是一条冰冷的铁蛇张大了嘴巴要一口咬下去。

"你会被绞死的！"司默特诅咒说，可是他的声音里已经开始有恐惧了。

塞缪·里德瞄准了目标，当司默特靠近时，铁棒一下子打中了他的手，那把大刀脱手飞出掉进了黑暗中。

司默特一边跌跌撞撞地爬过去找刀，一边不停地咒骂。这时铁棒狠狠地落在了他的屁股上，司默特被打得趴在了地上。他挣扎着坐起来——这真是个致命的错误——塞缪·里德先生击中了他的脑袋，他翻着白眼倒下去，失去了知觉。

然后，奇怪的事情发生了。塞缪·里德扔掉了手里的铁棒，仿佛那铁棒烫伤了他的手，然后他捂着眼睛，抽泣起来。

"你打赢了，"我疑惑地对他说，"你干得很漂亮！"

里德深深地吸了口气，停止了哭泣。"我是一个死过一次的人了，"他用沙哑的声音说道，"死了的人没有什么可失去的，也没有什么可害怕的，可是现在我活过来了，所以开始对接下来要发生的事情害怕得要命。你听得懂吗？"

现在唯一要紧的事情是在这两个恶棍醒过来之前处理好他们，免得他们醒来又要杀我们。里德帮我解下了手腕上的绳子，我们把斯汀和司默特的手拉到背后，然后用那绳子把他们俩捆在了一起。塞缪·里德仿佛一点儿力气都没有了，得由我来确定绳子是不是绑好绑牢了。

一切处理好之后，我们俩开始长途跋涉返回布鲁斯特先生的房子。因为刚才的搏斗，塞缪·里德的脚受伤了，我不得不一直搀扶着他。

"我把身上所有的东西都用完了。"他给我解释说，"三天没有吃东西，只喝了少得可怜的一点点水。"

"你是怎么挣脱绳子的呢？"我问他。

"杰布迪在树林里找到了我，你告诉过他我的情况，他很清楚应该到什么地方找我。他了解这片土地，就像了解他自己的手一样。他真的是。"

"那你干吗要跟着我们来这个废弃的矿井呢？"我追问，"你为什么不带着逃奴们赶紧跑呢？"

里德耸了耸肩，说："我开始也是这么想的，想尽快逃走，可我后来又想到了那两个坏蛋是怎么跟踪我们，你又是怎么在树林里帮助我的。"

"我也没做什么。"我说。

"那已经足够了。"里德说着，拍了拍我的头，"如果不是你让他们觉得我还有点利用价值的话，他们肯定早已经杀了我了。"

"那现在我们扯平了，因为你也救了我的命，我刚才都以为自己必死无疑了。"

当我们在黑暗中沿着马车碾过的痕迹往回走的时候，里德先生稍微恢复了一些。他擦掉了眼睛里的最后一点泪水，然后说这将是一个忙碌的夜晚，还有很多事情要做。

"逃奴们要花多长时间才能离开呢？"我问。

"我们今天晚上就走，"里德给我解释，"要是天气够好的话，两三天以后能到达边境。"

"你会带着他们一起走？"

"那是我的工作。"他说。

布鲁斯特先生家温暖的灯光指引了我们。当我们终于互相搀扶着一瘸一拐地走进院子的时候，我看见马车道上停着两辆马车，每辆马车上都套着几匹马，那些马呼着粗气，用马蹄刨着地面，仿佛迫不及待地想奔跑起来。那些藏在地下室的逃奴正在往马车上爬，他们随身带着不多的行李，在马车上挤成一团。我从没见过这么神色悲伤的人——看了他们你会觉得他们是去参加葬礼而不是去寻找自由的。

比恩太太最先看见我和里德从暗处走出来。

"他们在那儿！"她大声地喊着，"活着！两个人都活着！"

逃奴们一股脑涌出马车，开心地叫了起来。他们紧紧抓着塞缪·里德的手，拍着他的后背，然后把他举起来抬到了马车上。在那一刻，所有的人都又是哭又是笑，兴奋地迎接他们的英雄活着回到他们身边。真是太让人吃惊了，葬礼瞬间就变成了家庭欢迎派对。塞缪·里德仿佛从他的朋友们身上吸收了更多的能量，他看起来又像刚才挥动铁棒时一样强壮了。

"现在，大家安静！"他笑着命令大家，"你们会把全县的人都吵醒的。上车去，快，快，抓紧时间！我们必须在天亮之前赶好几英里路。"

几分钟后，大家都重新回到了马车上，准备出发。那些黑色的脸庞都重新充满了希望，就连小宝宝也不哭了，在妈妈的臂弯里咿咿呀呀地说着话。

塞缪·里德爬到第一辆马车的驾驶座上，抓住了缰绳。

杰布迪·布鲁斯特提着一盏灯走了过来。他握着塞缪·里德的手，说："祝你们平安，上帝会保佑你们。我等待着你们平安越过边境的消息，然后我会放了司默特先生和他的同伙。"

里德抖动着缰绳，马车轰隆隆地踏上了长长的马车道，渐渐地消失在了黑暗中。

我觉得这是我溜走的好时机。我想去找找我的老马鲍勃，我也要出发了。我在这儿每耽误一分钟，都会让我的哥哥哈罗德离战争更近一分钟。但是当我转身要走的时候，比恩太太用她那胖胖的手臂一把抱起了我，她紧紧地搂着我，还在我的脸上使劲地亲了几下。

"我从来都没想过，一个男孩子可以既是个好孩子，又是个小骗子，可你就是。"她说，"你就是。"

★14★
饥饿的老鼠

　　肯定是白鹅绒的床垫让我做了那些不切实际的美梦。梦里好像是爸爸妈妈还活着，我们还住在我们小小的房子里，爸爸正坐在火炉边用他那支长长的黏土烟斗抽烟，而我们亲爱的妈妈膝盖上放着一本书，正在给我和哈罗德讲故事。有一个故事讲的是一个印第安侦察员在密林深处探险，还有一个故事是讲一个有趣的小矮子在一个山洞里睡觉，一睡就睡了一百年。这个故事也有可能是后来哈罗德讲给我听的。梦慢慢消失了，我再怎么使劲，也抓不住它。

　　清晨，我在布鲁斯特先生的家里醒过来。阳光就像暖暖的蜂蜜，我可以闻到比恩太太做的早餐的香气。是什么东西和苹果一起在烤，还有红糖和肉桂。

我真不想起床啊——我从来没有睡过这么软这么温暖的床。我真想再睡一觉，找到刚才做的梦。在梦里爸爸妈妈还活着，哈罗德也是安全的，战争只不过是故事书里发生在很久很久以前的事情。

我其实可以那么做，因为布鲁斯特先生希望我能留下来，他说一个十二岁的孩子不应该去追赶正要去参战的军队，我可以留在这里，帮他料理地下铁路的工作。他说被一个有色人种打了是一件很丢脸的事情，所以斯汀和司默特不会再来骚扰我们了，而且还有那么多逃奴需要我们的帮助。

我其实真的有点儿想留下来，我想忘了哥哥的事情，安安逸逸地享受奢华的生活，每天都吃烤饼、苹果派、猪肉片、炸鸡，还有浇上糖汁的姜饼，把自己养得胖胖的。也许有一天我会驾着漂亮的马车，穿得像个绅士一般回到松树沼泽，在老司昆廷的面前炫耀一番，让他看看那个被他像牲口一样关在谷仓里的小男孩已经变了样了。

可是不管我怎么努力尝试，我也忘不了我的哥哥哈罗德。他就那么赤着脚，甚至连把枪都没有就要上战场，他只能躺在冰冷的地上，没有足够的食物吃，没有干净的水喝，浑身上下都是病痛。他那么勇敢，充满荣誉感，毫不顾忌自己，在战场上牺牲简直是必然的。如果他真的牺牲了，那就是我的错，因为我没有尽全力去救他。

当布鲁斯特先生往厨房里看的时候，我正在吃比恩太太给我做的炒蛋、炸土豆，还有炸苹果脆。他说："早上好，荷马。你决定了吗？"

"先让这孩子好好地吃顿早饭。"比恩太太说着冲他挥了挥铲子。

"你说得对，当然是这样，我道歉。"他说完就离开了。

"不，"我喊出来，"请等等。"

布鲁斯特先生走进了厨房，和善地看着我，但看上去隐隐地有些担心。比恩太太摇着头，叹着气，假装在炉子面前忙活。

"我的哥哥是我唯一的亲人。"我对他说，"他们欺骗他，还卖了他，就像卖掉一个奴隶一样。"

"你的意思是，你一定要去找你的哥哥，不管发生什么都要去？"

"是的，先生，我必须去。"

"那你想怎么找他？"布鲁斯特先生问我。

"首先我得试试，找到我的老马鲍勃。"

布鲁斯特先生若有所思，说："假设你能找到你的马，然后呢？"

我都计划好了，只不过没去想那些让人头疼的细节罢了，于是我说："然后我就骑着它一直往南走，直到找到军队啊。"

"就这样？"他怀疑地问，"就一直往南去，期望能有最好的结果？"

"我能找得到南方。"我向他保证说，"只要知道太阳从哪里升起从哪里落下，即使没有指南针我也能确定哪边是南方。"

"要是我说，你还是个小孩子，应该留在这儿，让我来照顾你。"

对杰布迪·布鲁斯特撒谎完全行不通，于是我对他说了实话。"我很感激你的善心，可是我会逃跑的，我一定会。"

他点了点那聪明的长满花白头发的头，仿佛他已经知道答案会是这样。"那匹老马在马厩里，已经梳理好了鬃毛，喂了水，还吃了干草和燕麦。"

老马鲍勃还活着！老鲍勃你太棒了！我迫不及待想见到它，还来不及把苹果脆吃完就从餐桌前跳了起来。

"坐下，"布鲁斯特先生严厉地说，"把食物吃完，这些都是上帝赐予的。"

"是的，先生。"我说着坐回椅子里，"可是鲍勃，它——"

"我会照料那匹马的。当你坐火车和轮船去纽约的时候，我会好好照料它的。"

"轮船？"我疑惑地问，"纽约？"

布鲁斯特先生看了一眼比恩太太，她还在炉子前忙活着，假装一点儿都没在意我们说着什么傻话。"我已经打听得非常清楚了。"他说得非常严肃和认真，"缅因州最近应征入伍的士兵在加入联军之前都会在纽约停留，很可能你哥哥也在这些人当中。他们会乘坐火车或者是轮船去那儿，很显然，你骑马去那儿实在是太远了。"

突然，我的脑海里出现了哈罗德和几百名士兵一起挤在火车上的画面。他以前没有坐过火车，他是会害怕还是会兴奋呢？按我对哈罗德的了解，他应该两种感觉都有吧。在这之前我一直都想象他得一路走着到战场上去，可是要想尽快在这些士兵上战场之前追上他们的话，火车好像更管用一些。

"去到那儿要花很多钱吗？"我问，"我可以把鲍勃卖给你，它是匹很棒的老马。"

布鲁斯特先生笑了。"那匹马确实是老了，你说得没错。别担心路上的花费，我很乐意提供这笔钱。如果不是因为我在这里的任务很要紧的话，我会亲自陪你去的。我不能走，因为埃宾泽·司默特虽然走了，但是会有别的和他一样的人接替他的位子。"

"我没事的。"我豪气地说，"别担心，我可是荷马·菲戈呀！"

比恩太太听了这话转了转眼珠，她终于忍不住又笑了。

"不，"布鲁斯特先生说，"我不放心让你一个人去，我安排了一位年轻的卫理公会牧师来做你的监护人，我会给他足够的资金把你哥哥从入伍人员中赎出来。"

在我听来，这一切都太美好了，比美好还完美。因为我马上就可以看见火车是什么样子的，还可以乘坐轮船；哈罗德可以离开军队，然后我们一起回来和布鲁斯特先生住在一起，而且我敢肯定，他是不会让我们睡在谷仓里的。

坐在温暖舒适的厨房里，仿佛我梦里的一切都要实现了。当然，如果我能预料到接下来将要发生的事情的话，我肯定会选择骑着老鲍勃出发，不然就两条腿走着去，无论如何也不会坐火车的。

可是，麻烦的是，我就像只饥饿的老鼠，没有太多思考的能力，我只看见了芝士，却没有注意到陷阱——一个叫维拉的人设下的陷阱。

牧师韦伯·B.维拉。

★15★
通往荣光的火车

　　吃完早餐不久，我的新监护人就拖着慢吞吞的步子踱进了厨房，仿佛他的靴子上沾上了什么东西，让他迈个步子都显得艰难。他又高又瘦，肩膀很窄，比头宽不了多少，瘦骨嶙峋的长胳膊从磨损的袖口里垂下来。他穿着一件破旧的黑色教士服，长度只到他的腰，他的裤子膝盖处都脏得发光了，头上那顶变了形的大礼帽在他进门的时候撞到了门框上。

　　"打搅了，先生们！"他大声地说着，脸上泛着红光，"实在是非常抱歉！噢，上帝啊！噢，上帝啊！"

　　韦伯·B.维拉先生看起来比我的哥哥哈罗德大不了多少。他瘦削的脸颊上有好看的金色绒毛，那是还没有长成的胡子，他的两只眼睛挨得很近，好像他想观察自己的鼻子，或者至少是看清楚鼻子周围有什么。最让他感到焦虑的可能是他忘记了像个绅士一样在进屋的时候摘下帽子，看起来他想退出房间重新再进来一次。

"别管你的帽子了，韦伯，"布鲁斯特先生不耐烦地说，"帽子的事情不要紧。进来，快进来，我想让你见见荷马·菲戈，你要负责照顾他。"

"太棒了，真是太好了，您好吗，先生？"他说着一把抓起我的手握住，虽然他连正眼都没瞧我一下。"这真是个难得的机会啊！太好了！"

当布鲁斯特先生给他讲解我们要先坐火车到波特兰，然后在那儿换乘轮船去纽约的时候，他一直戴着那顶变形的帽子坐立不安。

"我们无法确切地知道荷马的哥哥会在什么时间被安排到什么地方去，"布鲁斯特先生说，"不过很有可能所有的新兵都会先驻扎在纽约或者新泽西的营地，然后再从那里奔赴前线战场。清楚了吗？"

"战场，是的，清楚了。"维拉先生说。

"你们一到纽约，你就必须马上打听清楚，"布鲁斯特先生盯着那位年轻的教士说，"我会给你一封介绍信，你把信交给报社的编辑，也许那会有点儿帮助。你还要去我的教堂找当地的元老，不过你必须靠自己的聪明才智去完成这个任务，明白吗？"

"聪明才智，"维拉先生说，"必须的。"

"你必须明确你此行的目的，韦伯，以免你被误会成一个间谍。"

这句话惊醒了维拉先生："间谍？间谍？他们会把间谍绞死的，是吗？"

"确实会。"布鲁斯特先生干脆地说，"不过你要做的事情不是当间谍，你只不过是要打听一个士兵的下落，他还没到参军的年龄，却因为阴谋诡计被征入了军队。你要负责用法律手段让他从军队里出来。"

布鲁斯特先生说的话让事情听起来很简单。我们只需要到某个地方，问一些问题，然后我哥哥就能从军队里被放出来了。

第二天，在坐了很久的马车以后我和维拉先生到了火车站。我们乘上了缅因州到波士顿的列车，目的地是波特兰。当火车鸣响汽笛的时候，我们已经坐在涂着油漆的橡木座椅上等着出发了。每一个乘客都像要去教堂一样穿得体体面面的：女士们都穿着浆好的裙子，帽子的飘带系在脸颊两边；男士们都穿着黑色的羊毛西装，他们把帽子都放在头顶一个专门放帽子的架子上。一个穿着制服的列车员负责检票。

"十分钟以后出发，女士们先生们！"他大声地喊着，"十分钟以后出发！坐在你们的座位上！大家都请坐在座位上！"

维拉先生感觉有一点儿紧张，他对我说他从来没有去过波特兰，更别说是纽约了。事实上，我也从来都没有坐过火车，轮船更是看都没有看到过。

我对他说用不着感觉那么糟糕，几天以前，我除了松树沼泽哪儿都没有去过。只有一次，为了去看缅因州的展览会去过斯考希根。

"到波特兰有多远？"我问他。

维拉先生也不知道，于是我又问了列车员。"两站之间相距三十八英里。"他大声地回答我，听起来很愉快，"行驶时间大概是一个半小时。"

几乎四十英里的路程，我们居然可以在不到两个小时的时间内到达！这可比一匹赛马敞开了跑还要快，而且要是骑马的话，每跑几英里都必须停下来休息一会儿。可是正当我打算和维拉先生讨论一下关于坐火车啊、骑马啊、速度啊，这样有趣的话题时，他却说他觉得有点晕。

"我真的很不舒服。"他用非常虚弱的声音抱怨着，"肯定是火车的移动让我觉得难受。这叫晕火车，他们是这么说的。"

"可是火车还没开动呢，维拉先生。"我说出了关键点。

他的脸色看起来确实有点儿发白，不过当汽笛声响起，火车真的开动起来的时候，维拉先生却又恢复了些精神。建筑物、树木，还有电线杆在窗外一闪而过，车轮行驶在铁轨上也开始发出轻快和谐的声音。"感觉还不赖，"他看上去有点儿意外的惊喜，他说，"真的不太难受。"

现在，感觉舒服了的维拉先生想要说说他自己的故事了。他给我讲他在上小学的时候就开始研究《圣经》，他抄写的《圣经》得了好多奖。他是如何幸运地在一次废奴集会上认识了杰布迪·布鲁斯特先生，然后布鲁斯特先生又是怎么照顾他并帮他找到了一份工作。"我目前尚不属于哪个特定的教会，"他说，"任何教会对我来说，都是有可能的。事实上，就是这样。"

看他说话的语气，维拉先生应该是觉得帮我去解救我的哥哥是对他的一种考验，一旦他通过这次考验，布鲁斯特先生就会帮他安排进入教会的。

"那位了不起的先生给予了我信任，我不会让他失望的。"他非常严肃地说。

过了一会儿，维拉先生的声音就和车轮敲击铁轨的咔嚓声混在了一起。坐在火车上看窗外闪过的风景真是太令人惊叹了。农场、田野和森林，还有一排排的木屋，用砖盖起来的高大的工厂，都从窗外闪过。我感觉我们像是飘浮在某一本故事书里，火车每一次转弯就翻到了故事的下一页。这个故事我以前从来没有听过，所以我

也不知道故事会怎么结束。故事书翻过一页又一页，美丽的图片看过一幅又一幅，每次拐弯都可以发现新的风景，火车头喷出的黑烟在天空中形成了黑色的云朵，汽笛的鸣响听起来是如此生动，仿佛火车在说话："我——是——大火车呀，咔嚓——咔嚓——呜！我——是——大火车呀，咔嚓——咔嚓——呜！"听着听着我就睡着了。

等我醒来，我们已经到了波特兰，而我们的麻烦也正是从这里开始的。

★16★
全心全意为您效劳

通往波特兰港口的那条街是用鹅卵石铺成的，火车站的工作人员都说我们一定得去那条街看看，踏上那条街，脚底下的感觉都不一样。可是我们没找到那条街，维拉先生的方向感比一只瞎眼猫好不了多少，而且他还不愿意停下来问路，因为他害怕遇到小偷和大贼。

"那位伟大的先生给了我一笔钱，"他一边小声嘀咕着，一边检查他的口袋，说，"我可不敢让这些钱出什么问题。"

我密切关注着那些社会下层的人，我觉得在波特兰这样的城市，应该也会有像司默特和斯汀那样的人潜伏在周围，不过我们好像没有遇到。事实上，好像根本就没人注意过我们，就连我们在被榆树掩映的大房子漂亮社区里闲逛的时候，也没人在意我们。

"噢，天哪，"维拉先生说，"我们好像又转回来了。我们刚才不是才经过那座黄色的房子吗？"

"已经经过两次了。"我告诉他，"我们在往上坡方向走。"

"我们就是在往上坡走，"他说，"你觉得我们不应该往上坡走吗？"

"我觉得一个城市的水域应该是在地势低的地方，维拉先生。"

"真的吗？"他反问我，好像被这个想法给震惊了，"真了不起！"

"我们往下坡的方向走走，"我建议，"看看能走到什么地方。"

维拉先生让我拉着他的袖子一起走。不一会儿，我们就看见了高大的榆树，闪着波光的港口出现在我们眼前。港口里停满了各种大小和形状的船：有双桅帆船、明轮轮船、单桅帆船、渡轮和摆渡小船，还有各种各样超出我想象的船，所有的船都密密麻麻地挤在岸边，像是蜂巢里努力喂食的蜜蜂。

"噢，我的天，"维拉先生看着眼前的壮观景象，惊呼着，"哎哟，我的天哪，哎哟，我的天！"

现在我们能看见我们前进的方向，并且把港口的繁华景色一览无余了。我们穿过偏僻的小街，从美丽的山坡上走下来，终于找到了那条传说中的鹅卵石街道，通往乘坐轮船的那扇铁门也近在眼前。

鹅卵石街上挤满了行色匆匆的人们：穿着体面衣服的上等人、衣衫褴褛的工人、警察以及水手。和我差不多大的男孩正在往马车上装货，他们抽着烟斗，看上去非常厉害。

"小心！让开！"

一辆马车疾驰而过，车轮溅起石子，我们不得不朝一边迅速躲开才没有被撞上。我们就这样碰巧认识了美丽的凯特·尼布里和她的哥哥弗兰克。

凯特在慌忙之中躲避马车，又要注意不能让自己干净的裙子被弄脏了，结果她几乎是撞在了维拉先生的身上，被他抱了个正着。

"天哪！"维拉先生发现自己竟抱着位小姐，便大声地说，"噢，天哪！"

"谢谢您，好心的先生。"她说着把两只软软的手套在他颤抖的鼻翼前晃了晃，"幸好你救了我，不然我的裙子就遭殃了。"

还没等维拉先生回答，我就听见我们身后传来了另外一个人的声音。

"妹妹，你还好吗？你受伤了吗？"

那是她的哥哥弗兰克，看上去和维拉先生差不多大，穿戴得像一位富裕的绅士。他穿着一套剪裁得体的西装，怀表上系着金色的表链，脚上是锃亮的皮鞋，弯弯的胡子微微地往上翘着。他意识到是这位瘦瘦的教士救了他的妹妹，让她免于摔倒或者别的什么更糟糕的结果，于是他一再地向维拉先生表达他的谢意。

"我亲爱的朋友，"他紧紧地握着维拉先生的手，大声地说，"干得好！太好了！凯特，你有没有向这位勇敢的绅士致谢呢？"

"是的，哥哥，"她用甜蜜而温柔的声音说，"我允许他亲吻了我的手套。"

维拉先生的脸红得就像熟透了的番茄，不过他看起来倒是非常高兴。弗兰克抬眼看过去，脸上挂着大大的笑容，友善的眼睛里闪着幽默的光芒："你亲吻了她的手套，是吗？那个不是求婚时才会做的事情吗？"

维拉先生开始像一壶要烧开的水一样不停地颤抖，发出低低的尖叫声。弗兰克大笑起来，他拍了拍维拉先生的后背，说："我开个玩笑，先生！开玩笑的！这事真有意思，我必须邀请你们和我们一起吃饭。"

"噢，不用了。"维拉先生的脸变得更红了，"不行，不必，我们还要去赶船。"

"真的吗？哪艘船？能告诉我吗？"

"奥利安号，"维拉先生说，"去纽约的。"

弗兰克和他的妹妹互相看了一眼，猛地大笑起来。"不好意思，"等弗兰克终于喘过气来，他说，"无意冒犯，不过我们好像是同一艘船的旅伴。我和凯特买的也是那艘船的票，目的地也是纽约。"

"太神奇了。"维拉先生吃惊得下巴都要掉下来了。

"也不算太神奇，"弗兰克说着，随意地把胳膊搭在维拉先生的肩膀上，推着他往水边走去，"这街上一半的人都要坐那艘船。不过不用介意，缘分就是缘分。你一定要和我们一起分享松饼和巧克力，奥利安号要两个小时以后才出发，我们还有足够的时间来熟悉一下。"

"这是谁？"凯特用手套在我的头上轻拂了一下，问，"他是你的仆人吗？他应该帮不了你多大的忙吧。"

可能是因为她晃那手套的方式，可能是因为她美丽的灰色眼睛里那冷冷的一瞥，也可能就是因为我看凯特·尼布里不顺眼，我把她的手套从她手里扯了下来——手套为什么不戴上非要拿在手里呢——然后我把它们扔到了水沟里。

尼布里小姐无法置信地盯着我，我以为她会生气，没想到她只是叹了口气，然后说："我明白了，你不是仆人吧？"

"不是的，女士，我是荷马·菲戈，在我们到达纽约找到我的哥哥哈罗德之前，维拉先生是我的临时监护人。不过看起来更像是我在保护维拉先生——我的意思是说，维拉先生是个好人，可是他没有上帝赐予的那种男子汉气概。"

"荷马，"维拉先生有点失神，"你在说什么？"

"我告诉她你是位教士。"

"这孩子真有意思，"凯特说着捡回了她的手套，"我觉得我们一定会成为好朋友的。"

她对着我微笑，然后看了一眼她的哥哥，仿佛是在提醒他要注意什么要紧的事情，于是弗兰克·尼布里突然咧嘴笑了一下，拍了拍手说："荷马·菲戈！太棒了！所以是因为你，你们才旅行的是吗？"然后他伸出手来抓住我的手一直握着，"我真是失礼了。自我介绍一下，我叫弗兰克·T.尼布里，我是代表法律、正义和和平的律师，全心全意为您效劳。"

有些事情我本来还不是很明白，不过很快我就发现，当一位律师和你握手，还冲你咧嘴笑的时候，你最好赶紧逃命。

★17★
给荷马·菲戈的消息

　　常年在谷仓里过日子，我已经习惯了身边围绕着各种各样的动物。马啊，牛啊，猪啊，还有些吓人的，像猫头鹰啊，老鼠啊，以及蛇什么的。有一次我和哈罗德目睹了一条很粗的黑蛇吞掉一只灰色小老鼠的全过程。非常奇怪的是，那只老鼠根本就一动不动，也没有要逃跑的意思，就好像它知道自己已是蛇的盘中餐，不用再费劲抵抗了。

　　维拉先生在美丽的凯特·尼布里面前的表现，就和那只老鼠差不多，甚至连他的眼睛都像老鼠眼睛一样闪着亮光。每次只要她一说类似于"真的吗，韦伯？真神奇啊！"或者是"你觉得呢，韦伯？你觉得我是该戴珍珠项链呢，还是琥珀的呢？"维拉先生就会像只老鼠一样浑身战栗。

才认识不过五分钟，两人就已经直呼名字了，他叫她凯特，她叫他韦伯，不知道的人还以为他们俩是多年的恋人呢。我们在轮船起点站的一个小餐厅里蘸着巧克力酱吃了点奶油松饼，还喝了一杯冰牛奶。尼布里小姐一直忙着让维拉先生觉得他是这个世上最重要的人，而弗兰克则是对我殷勤周到。

"你说你的哥哥被卖到军队去了？真是太过分了。这绝对是不公正的，这场战争的目的就是为了终结奴隶制，难道不是吗？"

"我不知道战争的目的是什么，"我嘴巴里满是松饼，说，"我只是不想让我哥哥死在战场上，就是这样。"

"你当然不想了。"弗兰克小心地嘬了一口牛奶，"忠诚的兄弟，多么感人。你说这次交易——就是这次紧急去解救你哥哥的旅行——是由杰布迪·布鲁斯特先生资助的，就是那个有名的布鲁斯特宝石矿主人？"

我没有透露过什么，不过维拉先生在尼布里小姐第一次问他的时候，就把我们的所有事情竹筒倒豆子般全说了。布鲁斯特先生是怎么派他来当我的监护人以考验他的，他如何有一封介绍信要交给某个重要人物，以及他是如何被授意去解救哈罗德的——如果能走到那一步的话。

他把什么都说了，就差把布鲁斯特先生交给他保管的钱拿给她看了，之所以没拿出来，还是因为我及时踩了他一脚。

"荷马，你这是怎么了？"他一边问还一边揉他那只精瘦的脚。

"我们该上船了，维拉先生。"

"不用着急，"弗兰克·尼布里说着，又冲我露出了牙齿，"完全不用着急。"

可是其他的乘客已经在和送行的人告别，纷纷登上奥利安号了，乘务员在往船上搬行李，轮船的烟囱里喷出了烟。维拉先生终于意识到发生了什么，然后像是被缝衣针戳到了似的跳了起来。

"这孩子说得对！"他脱口而出，"我们必须得走了！不能错过船！"

当维拉先生搞清楚我们真的得上船的时候，我还以为事情就到此为止了。因为我总觉得尼布里兄妹并没有买船票，他们只是想糊弄住我们，让我们错过上船，然后再想办法骗维拉先生把钱交出来。

他们是冲着钱来的，我知道，弗兰克知道，凯特也知道，唯一搞不清楚状况的只有可怜的维拉先生。我拉着维拉先生的袖口，拽着他和其他要上船的乘客一起朝船舷走去。他一边走还一边回头看忽闪着大眼睛的尼布里小姐，不过终于我们走到了船舷上，一个船员问我们要船票。

"票？票？"维拉先生看起来有点儿犯糊涂。见他拍着他的口袋，我的心不由往下一沉，不过还好他找到了信封，然后把票递给了船员。船员让我们上了船，好给别的乘客让出通道。

我的想法是马上就到船舱里去，可是维拉先生又绕到栏杆那儿，在码头的人群中寻找尼布里小姐。

弗兰克和凯特已经无影无踪了。

"她能去哪儿呢？"维拉先生问。

我很想说他们已经走了，去找下一个傻瓜了，可是看着可怜的维拉先生很受伤的样子，话到嘴边我又忍住了。

奥利安号的船舱小得跟个笼子似的，我和维拉先生活像两只被关在笼子里的鸡。船舱小得几乎连门都打不开，铺位又短又窄，以至于维拉先生要躺下去的话非得蜷起半个身子。对我来说情况还不算太糟——我的身高差不多能躺下去，而且我睡在上铺，还可以从一扇小窗子看见外面。我躺在铺位上，静静地看着灯光熄灭，看到天上挂满了星星。

我们其实可以像大多数乘客那样到甲板上去走走，或者到餐厅看看，还可以去瞧瞧船的蒸汽发动机，再不然去舵手室参观一下也好，可是维拉先生不想出船舱。我以前没见过害相思病的人，毫无疑问韦伯·维拉就是得了相思病，他的心上人正是凯特·尼布里。几个小时以前他还不知道她的存在，可是现在他已经离不开她了。

"你应该去看医生。"我建议他，"吃点药，或者是弄只蚂蝗来把你犯病的血给吸走。"

"闭嘴，荷马。"

"看吧？要是你没有觉得不舒服的话，你怎么会让别人闭嘴呢？你一向都特别有礼貌。"

"你走开，让我一个人待一会儿。"

"不行，"我躺在上铺说，"你是我的监护人，要是我掉进海里或是跳进锅炉里，布鲁斯特先生肯定会追究你的责任，你就永远也加入不了教会了。"

"去跳船吧，我才不管呢！"他用枕头捂着脸，声音听起来闷闷的。"你不喜欢她，"他放声大哭起来，"这都是你的错！"

要是他乐意听的话，我有一大堆话可以讲给他听。尼布里小姐根本就不关心他，她关心的是钱，这个事情简单明了得就像他脸上那个又长又瘦的鼻子。骗子总是能够一眼看穿骗子的把戏，当尼布里小姐假装跌进维拉先生怀里的时候，我就已经看出来他们是骗子了。可是有些人就是那么正派又实在，就像哈罗德和维拉先生，而有些人就总是耍心眼占别人便宜。

我本可以把这些都告诉维拉先生，可是他一直拿枕头捂着脑袋，所以我只能自言自语。我听着引擎发出的轰鸣，感受着那规律的声音，"呼！呼！"海水也随着船摆动，"哗！哗！哗！"好像是大海在给我讲故事，我听着海浪声美美地睡着了。

有人在敲船舱的门，因为起来得太猛我撞到了天花板。

"荷马·菲戈！有荷马·菲戈的口信！"

维拉先生正扯锯子似的打着呼噜，我只好从上铺跳下去开门。

一个船员站在走廊上。他戴着一顶滑稽的小帽子，帽子飘带系在脖子下面，身上的制服很时髦，裤子上还有金色的条纹，脚上那双又小又紧的鞋子亮得像一面黑镜子，优雅的小手上戴着白色的手套，一双小眼睛冷酷得跟冰块似的。

"你是荷马·菲戈？"

"是的，先生，我就是。"

"船长请你去一趟，"他不可一世地说，"跟我来吧。"

如果船长想见我的话，应该是我做错了什么事情，但是我实在想不出来我到底做错了什么，因为整个旅程我一直待在船舱里，照看着可怜的维拉先生。不过，既然船长都下了命令，我最好还是服从。于是我把衬衣塞进裤子里，跟着船员敏捷地穿过昏暗的走廊，来到了开阔的甲板上，海水和盐的气味让我彻底清醒了。

船员狠狠地瞪了我一眼，然后从口袋里掏出一把粗粗的铜钥匙，把我们身后走廊的门给锁上了。

"船长在哪儿？"我问。

"在他自己的船舱里睡大觉呢。"那个船员说着把钥匙装进了口袋。他用手摸了一下他的小帽子，然后飞快地溜进了黑暗里，动作太快了，我根本就追不上。

我意识到根本就不是船长想见我——很有可能船长就没听说过荷马·菲戈——肯定是有人用钱买通那个船员把我骗出船舱，还把我锁在这儿。

我沿着甲板跑，想找另外一扇门，可是所有的门好像都从外面被锁上了。于是我使劲地敲打墙壁，大喊维拉先生的名字。终于有一扇门打开了，一位穿着睡衣的老先生问我在咋咋呼呼地喊什么，怎么这么吵。

"谢谢你！万分感谢！"我一边道谢一边从他身边冲到走廊上，拼命地往我们的船舱跑去，希望还来得及。

可是当我跑回去的时候，弗兰克·尼布里先生已经靠在墙上摆弄他的手指甲了。他冲我狡诈地一笑，然后说："晚上好，荷马，出去呼吸夜晚的空气了？"

"维拉先生在哪儿？"我厉声问道，"你们对他做了什么？"

"维拉先生很好，"他说，"维拉先生好得不得了。"

我正准备绕过他，这时船舱门开了。教士韦伯·B.维拉先生穿着他最好的教士服走了出来，身边是凯特·尼布里小姐，她挽着他的胳膊。

"维拉先生，你还好吗？那些钱还在你那儿吗？"

这位教士脸上一副愚蠢的表情，感觉都不知道自己是活在人间还是飘在天堂了，不过不管他在什么地方他都应该觉得很开心吧，他就好像是被人用大锤子打了脑袋还特别享受的样子。

"最不可思议的事情发生了！"他一边说，一边拍着尼布里小姐的手，"我要结婚了，尼布里小姐和我订婚了，我们要结婚。"

★18★
猪的气味

　　事情是这样的，尼布里小姐亲了维拉先生，然后维拉先生也亲了尼布里小姐，现在他觉得，为了彼此的名誉，他有义务要和她结婚。

　　"我也不指望你能明白这些事情，"他傲慢地说，一双眼睛像棕色的小石头一样闪着亮光，"一个孤儿怎么会懂什么是名誉呢。"

　　孤儿。弗兰克·尼布里是这样叫我的，现在他让维拉先生也这么叫我了。不过仔细想想，这位教士先生自从被凯特的美貌俘虏以后，他就没有用自己的脑子说过话。就像故事书里讲的一样，公主亲吻了青蛙，然后青蛙变成了王子，唯一不同的是维拉先生比青蛙还蠢。他看起来更像是一只马上要被聪明的知更鸟吃掉的瘦不拉几的小虫子。

说他也没用，因为他只听得进他想听的话。不过我还是把我想说的话说了出来："你觉得布鲁斯特先生会同意吗？"我在和想吃掉他的知更鸟比赛，"他叫你来帮我，结果你倒结婚了？你看见她哥哥盯着你的钱包的那个样子了吗？那就像是一只狐狸正在考虑选哪只鸡吃，他就是那么看你的！"

"亲爱的凯特一直就想嫁给牧师，"他做梦似的说，"那是一见钟情。"

"可不是一见钟情嘛，你说得对！他们在一英里外就看见了你。商量着说那个人看起来蠢得像块石头，我们去看看他的口袋里有什么好东西。"

维拉先生并没有用手指堵住耳朵，不过实际也就跟堵住了差不多，他对我的话充耳不闻。"我们会在纽约定居，这样离她的家近。"他说，"我将成为公园大道的牧师。"

"公园大道是富人住的地方，维拉先生，这个连我都听说过。"

"不错，不错，确实是。你要知道，尼布里家族很有钱，亲爱的弗兰克掌握着所有的财产。"

"你亲爱的弗兰克想掌握的是我们的财产，维拉先生，你不能把钱给他！我们得用那钱去把哈罗德救回来！"

他完全不理我，径自说着他要结婚的梦话，越快越好。

"我要在纽约给布鲁斯特先生发电报，告诉他这个好消息。"他说着望向了远处，仿佛发现了一道可爱的彩虹，"我敢肯定，他会祝福我的。布鲁斯特先生总是乐于助人又慷慨大方，尤其是对尼布里家族的人，那个，他们可是尼布里家族啊。"

我从来就没有听说过尼布里家族，不过看起来好像维拉先生知道他们是纽约的上流人家。我意识到维拉先生不仅爱美人，也爱附加在美人身上的姓氏，这让我感觉也许是我错了吧，这样的家庭怎么会喜欢一个穿着破旧夹克的农村小伙子呢？难道这真的是真爱？

"我们是灵魂的伴侣，"他自言自语地说，"是命运让我们走到了一起。亲爱的凯特一直都在等着我，当她凝视我的眼睛的那一刻，她就明白了这一点。"

这就对了，不可能是真爱。维拉先生的眼睛看起来就像一只病怏怏的小猫。你也许会喜欢一只虚弱的小猫，但是你不会嫁给他，只会把他当宠物。

"我有个办法，"我拉着他的袖子说，"你把钱给我，在我们平安抵达纽约之前，由我来保管那些钱。"

维拉先生看着我，仿佛我刚从石头下面钻出来。"把钱给一个可怜的孤儿保管？"他问我，这才用眼睛看着我，好像我才刚刚出现一样。"绝对不可以。还有，我们怎么知道你是不是真的有个哥哥呢？有人见过你这个所谓的哥哥吗？也许你一直是在用阴谋诡计欺骗布鲁斯特先生，一个孤儿什么事都干得出来。"

我真是无话可说了，我为可怜的维拉先生感到真心的难过，他彻底被愚弄了，而且他从来就没有信任过我。也许这个想法也是弗兰克·尼布里灌输到他空无一物的脑子里的。而且不论他是如何有这种想法的，我担心的是别人也会这样以为。

尼布里小姐假装很好心的样子，但是她话里的意思很清楚，就是他们是不会邀请孤儿参加婚礼的。

"可怜的孩子，你身上有股痞子气，"她优雅地哼了一声，说，"不过考虑到你的成长环境，我知道这不是你的错。但事情就是这样，我们不能邀请痞子参加婚礼。痞子不能参加婚礼，没有人会容忍婚礼上有痞子的。"

于是，我不仅仅是个孤儿了——虽然孤儿已经够糟糕的了——我还是一个充满痞子气的孤儿，所以我不会被邀请去参加婚礼，在他们筹划婚礼的时候我也不能待在船舱里。

弗兰克把那个戴着滑稽的小帽子、眼神冰冷的乘务员叫了进来，吩咐他把我从船舱里给弄出去。

"这孩子会更乐意待在驾驶舱里的，"弗兰克说，"跟他的同类待在一起。"

那个乘务员抓住了我的衣领。

"我要告诉船长！"我大喊着，想要吓唬他们说我要暴露他们的邪恶计划，"我要告诉他你们是怎么骗维拉先生的，你们俩都是骗子！"

凯特叹口气，翻了个白眼。"船长怎么想完全不关我们的事，我们不需要船长。我哥哥是一个持有效法律执照维护正义的律师，他会帮助我们完婚。对吗，弗兰克？"

弗兰克微笑着，摆弄着他的怀表。"结婚的时间由我们自己决定。维拉先生，你准备好永结同心了吗？"

我以前在松树沼泽曾看见过有个人的脑袋被马踢了，差点儿丢了性命。他当时脸上那个表情，就好像他已经看见了通往天堂的路，这尘世间的一切他都不再关心了。维拉先生拉着凯特的手的时候，看起来就是那副样子。

"你们这样做，简直就是——"

我想说"简直就是大错特错"，可是那个狡猾的乘务员用一只手捂住了我的嘴巴，把我拖出了船舱，然后关上了门。

"你还想不想要命了？"那个乘务员咬牙切齿地把我拖到了走廊上，"你要是还想活命的话，最好闭上你那张下流的小嘴巴。"

就在这时，我使出全身力气，狠狠朝他手上咬了一口。乘务员发出一声惨叫放开了我，我立刻拼命朝出口跑去。

"可恶的小兔崽子！"他恶狠狠地叫着要来抓我。

要不是因为甲板太滑，我肯定就逃脱了。我跑到一个角落里，正准备朝甲板的门那边跑的时候踩到了一个特别滑的地方，然后一头撞到了钢管上。

我最后记得的事情是那根钢管像颗巨大的灰色的子弹般向我砸了过来，然后就是一团漆黑了，我闻见了猪的气味。

★19★
吓死人的猪娃

松树沼泽的人都喜欢议论一个叫西拉·维京的人，他以前在布店里工作过。据说西拉喜欢猪肉胜过一切：火腿、肋骨、排骨、肉片、熏肉、炒肉、猪肝、猪肾、猪蹄……西拉非猪不吃。猪应该也很喜欢他，证据就是有一个星期六晚上，他喝玉米酒喝多了，醉醺醺地回家时，失足掉进了猪圈里。

猪把他给吃了。除了他的帽子和靴子，什么都没留下。

当我在臭烘烘的黑暗中醒过来时，有一只猪正在舔我的脚，我想起了西拉的故事。我踢了那只小猪一脚，它迅速退到了猪圈的那一边，开始尖叫起来。其他的猪也跟着叫了起来。

我被困在轮船底层的猪圈里了，我被一群猪给包围了。

"救命啊！我在船底下！救命啊！救命啊！"

猪和鸡的叫声很嘈杂，我过了一会儿才注意到船的引擎不动了，好像船也停下来了。

"救命啊！救命啊！有没有人来救救我！"

我拼命喊了一个多小时，直到喉咙又痛又干再也说不出话来。我脑袋上被钢管砸到的地方很疼，肚子饿得发疼，也渴得慌，可是又害怕自己会睡着。我情愿回到谷仓去，睡在一堆干净的麦草上。司昆廷·里奇有时候会打我们，不给我们东西吃，但他不会把我们拿来喂猪。好心的老司昆廷——和弗兰克比起来，他真是个好人，也比维拉先生好多了。

我觉得又难受又害怕，时间仿佛过了一百年那么久，终于甲板那边有一扇小门被打开了，发出了很大的声响，阳光射了进来。这是喊救命的最佳时机，可是我的嗓子完全哑了，全都在黑暗中浪费完了。我能做的只有紧紧地抓住猪圈的栏杆，发出了一点点可怜的声音。猪圈门从外面被打开，门被别好挂在船身上，然后圈里的猪和其他圈里的牲畜开始被卸载到码头上。

猪叫得很大声，有人在猪圈的另一头大声吆喝着："安静点儿，你们这些讨厌的畜生。"

我竭尽全力把手从栏杆中间伸出去，抓住了那个人

的裤腿。紧接着，一张又大又红的喝过威士忌的脸出现在我的面前，他仔细地看了看我，"真是见了鬼了！"他一边喊着一边往后跳了一步，"这猪怎么长得这么像个孩子啊！"

"呃，呃。"我哑着嗓子，用手指着喉咙，想向他解释我的嗓子说不出话来。

"山姆！杰克！艾拉！快过来看看！"

很快就有一群人围了过来，大家都看得目瞪口呆。

"我听说过被狼养大的小孩，"有一个人说，"这还是第一次看见有被猪养大的。"

"小家伙真可怜，没有学过说话，所以只能哑着嗓子喊几声。"

"也许他真的有一半是猪呢——他脏得真够可以的。"

"看看他的脚，看看有没有蹄子！"

"噢，你们看，这小家伙生气了。他在叫呢，小猪娃，他在叫呢！"

他们开始把棍子伸进笼子里来戳我。我抓住了一根棍子，戳了回去，结果他们都大笑起来。我都要气疯了，可是我的嗓子还是又干又痛，一个字都说不出来。我竭尽全力发出来的声音听起来就像是猪的呼噜声，这让事情变得更加糟糕。

"叫啊，"他们大叫着，逼着我继续叫，"你再叫啊！"

有人用棍子来戳我的脸，我用牙齿咬住棍子甩了出去，十足像个动物。

"你们看他在嚎叫！这个猪娃的牙齿真锋利！还好他被关在猪圈里。"

那些折磨我的人是码头工人、机械工、船员，还有几个比我大不了几岁的男孩子。其中一个男孩被安排提一桶猪食去喂猪，可现在他却把那些猪食往我身上泼来取乐。身上被溅得到处都是烂菜叶让我怒不可遏，我尖叫着，呕吐着，朝他们龇牙咧嘴。不一会儿，他们就往后退了一些。他们的眼神里略有些害怕，大概是觉得我和疯狗一样得了狂犬病吧。

虽然我不能说话，但是我还可以叫，当又有一只手朝我伸过来的时候，我猛地咬了过去，还发出嗷嗷的叫声，反正他们都觉得我是个动物。

在一旁观看的人傻乎乎地一齐笑起来，他们还从来没有看到过这么有趣的猪娃。那个往我身上泼菜叶的男孩受到了极大的鼓舞，又去弄了一桶猪食过来。

当他把那一桶猪食兜头给我浇下来时，在场的每一个人都在拍手叫好。

"吃吧，猪娃！吃啊！"他们都在大喊。

我一把将脸上的菜叶抹下来。这时有个穿着锃亮的及膝长靴的人大步走进了猪圈。虽然我没看清楚这双长靴的主人，不过我很快听到了他的声音。

"这里由谁负责？"穿靴子的人严厉地问，"这个孩子是谁家的？说话！你们奚落别人那么有一套，却回答不出一个简单的问题，是不是？我再问一次，是谁负责照顾这个孩子？"

那个因为酗酒而整了一张大红脸的大个子皱着眉毛，双手在胸前交叉着，说："没有人关心这个。"

"我是芬顿·J.弗里波特教授。"那个穿靴子的人说。当他将大礼帽取下来鞠躬致意的时候，我看见了一张长长瘦瘦的脸，他长着金色的卷卷的胡子，灵活的灰眼睛里闪过一丝狡黠的神采。"你又是谁呢？先生？这是你的猪圈吗？这些猪都是你的吗？"

那个大个子没有报出自己的名字。"这些猪是我的，你说得很对。"

"那这个孩子呢？"

"以前从没见过。"

"没见过？真是让人吃惊。你把他跟你的猪一起来养，你居然没有注意到他是个人？"

"你胡说！我根本就不是那个意思！"

弗里波特教授把手放在屁股后面，说："我没有打歪你的酒糟鼻子就算你走运了。"他说话的声音那么有力、不容置疑，以至于那群折磨我的人都往后退了退，仿佛是为自己的行为感到羞愧了。"要不是因为我刚刚才擦过靴子，我就一脚踹在你那猪屎味的屁股上，把你踢到新泽西去。现在，趁我还没有叫警察来逮捕你之前，把猪圈门给我打开！"

大个子赶紧去开门，过了一会儿，猪圈的侧门开了。小猪崽都挤在猪圈的角落里，我迅速地爬了起来，身上还都是烂菜叶和猪粪。我从来没有像现在这样难过，空虚和愤怒的感觉一齐涌上心头，当那个红脸大汉看见我眼睛里的愤怒时，他不禁慢慢地往后退了几步。

"准备一桶干净的水过来！"弗里波特教授命令道。

我用了一桶多水才把身上猪的气味冲干净。他们把我整个儿泡在了水里，然后弗里波特教授递给我一勺清凉的干净水。那让人舒心的凉水滋润了我的喉咙，让我能够再发出声音来。我抬头看着弗里波特教授，像个真正的人那般对他说："谢谢您，先生。"

芬顿·J.弗里波特取下高高的礼帽，略略弯腰行了个礼，说："乐意为你效劳，年轻人。你的表现令人赞叹，你假装愤怒的小猪时真是惟妙惟肖，那也是不可多得的技能啊。告诉我，年轻人，你有没有被别人雇佣？"

原来弗里波特教授要办一个药品巡回展览，他想要雇用我。

"我们的小丑刚刚死了，可怜的家伙，被鸡头给噎死的。"他说完看着我的脸，接着说，"别担心，孩子，你不用去咬活鸡的头，我们会用别的小鸟代替的。"

★20★
神奇的大篷车

　　弗里波特教授听人说话时的样子，会让你觉得他确实是很真诚地想听你说话。那种感觉就像他用那双和气的、充满幽默感的眼睛把你说的每一个字都吃透了，而且还在等着听后面的。在他听你说话的时候，就连他那打过蜡的胡子一动一动的样子都很有趣。我一不留神就告诉了他所有的事情。关于司昆廷姨父，关于他是怎么让我和哈罗德住在谷仓里，让我们玩命地干活又从不给我们吃饱，还有司昆廷是怎么把哈罗德卖给了军队，我又是怎么下定决心要把他从战争的死亡威胁中拯救出来，因为哈罗德勇敢又真诚，他肯定会丧命的。我还告诉了弗里波特教授关于教士韦伯·B.维拉和可怕的尼布里兄妹的事情，他们是怎么偷了原本用来把我哥哥从军队里赎出来的那笔钱，还把我给弄进了猪圈。

当我讲完的时候，我都有点儿可怜我自己了。弗里波特教授拍拍我的头说："真是个曲折的故事。我尤其喜欢你单枪匹马就打败五十个赏金猎人，还解放了一千个奴隶那一部分。"

"有别人帮忙的，"我极不情愿地承认说，"杰布迪·布鲁斯特和塞缪·里德也出了点力。"

"有的时候把话说简单点儿更能让人相信。"弗里波特教授眨了眨眼睛，默认了我说的话，"好吧，听了你精彩的故事，我想总结三条。第一条，如果你还是坚定地想去找你哥哥的话，我们不妨互相利用一下，因为我也要去军队。"

"去打仗吗？"我问他，眼睛盯着他翘起的胡子。

他咧嘴一笑，摇着头说："是去挣钱，哪儿有军队哪儿就有钱赚。"

"我也有钱，如果我们能找到维拉先生的话。"

弗里波特教授摇摇头，非常严肃地说："听听我这个长辈的意见，荷马，那些钱早就不在了。你描述的那对兄妹是职业骗子，有好多像他们那样的人，在轮船码头和火车站一带活动，专门骗像你那位维拉先生一样单纯的人。这是老把戏了。结婚毫无疑问是假的，那只不过是骗他钱包的借口而已。现在他们肯定已经拿了钱走人，把维拉先生给甩了。真的，我很奇怪维拉先生居然没有和你一样被扔到猪圈里。"

"你真的能帮我找到哥哥吗？"

弗里波特教授耸了耸肩膀，说："我只能跟你保证我会尽力。因为生意，我跟军队有点儿联系。我用我的荣誉跟你保证，我一定会打听刚刚入伍的哈罗德·菲戈，我们看看会有什么结果。"

我不是很相信什么用荣誉保证，维拉先生当初还是用《圣经》发誓，信誓旦旦地对布鲁斯特先生保证要好好照顾我呢。可是我又担心万一弗里波特教授说的是真的呢。钱已经没了，如果我想要把哈罗德从军队里救出来，我一定要先把他找到，靠我自己或者是靠我能找到的不管是谁的帮助。

"我的第二条总结，"弗里波特教授说，"你在谷仓的生活经历或许是很有用的，那样的话你应该可以接受和几只小猪待在一起。"

"我不介意和猪待在一起，只要它们不把我吃了就行。"

"啊！我们会尽全力保证不让那样的事情发生。"他大方地保证说，"我的第三条，也是最后一条结论是，你需要好好洗个澡，你身上还是闻得到刺鼻的猪的气味，让人有点窒息。简单地说，你太臭了。"

弗里波特教授带着我来到熙熙攘攘的码头，穿过赶船的密密麻麻的人群，来到了他的马车旁。马车刚刚从一艘波士顿的船上卸下来，是三辆颜色鲜艳的马车，每一辆都由两匹马拉着，几匹老马没一匹看着有精神。我本来以为我会看见一头大象，再不济也能看见一头大狮子什么的，可是他说他的展览并不是大规模的动物表演。

"我们小是小，不过很精彩。"他爽朗地说，"弗里波特神奇的大篷车只有一个小小的愿望，就是去慰劳我们勇敢的战士，让他们暂时忘记对于战争的恐惧，这绝对是必需的良药。我们希望用这种方法尽到共和国公民的义务。"

"你卖什么药啊？"我问。

"最好的药，"他说，"能让你微笑的药。"

我从来没有看过真正的药品巡回展览，因为司昆廷好像天生就讨厌这些。但是哈罗德在我们亲爱的妈妈还在世的时候看到过，他说展览里有皮肤上长着鱼鳞的美人鱼，有装在罐子里的双头蛇，还有用脚弹五弦琴的男人。表演完了以后，那些人卖出了好多瓶神经兴奋剂，那种药的威力跟甜味朗姆酒差不多，闻起来气味也差不多。哈罗德说虽然妈妈不准他尝试那种药，他也觉得那次表演很精彩。

"米娜瓦！"弗里波特教授大喊一声，"出来现个身吧，亲爱的！"

一辆马车的门打开了，车上下来一个瘦瘦的女人，她的头发颜色很红，看起来就像脑袋上着火了一样。那一头火红的头发还不是她身上最精彩的部分：她穿了件无袖的紧身长袍，手臂上的每一寸皮肤都文满了五颜六色的文身，一直延伸到手指尖。我以前从来没有见过真正有文身的女士，这会儿看起来真是触目惊心。那些图案随着她的手臂移动，好像是故事书里的图片，而我很想听一听那些故事都是什么。

"一个十二岁的孩子，她坐的船在食人族住的小岛翻了，米娜瓦在南海上被俘虏，"弗里波特教授解释说，"那些野人抓住了她，把她当成了他们的财产。"

红头发的女士翻着白眼说："得了吧，芬顿。"然后她皱了皱瘦瘦的鼻子，做个鬼脸，说："哎呀，让我看看你带回个什么呢？我最好是检查检查你的靴子。"

"是猪！我亲爱的。"他兴高采烈地说，"能不能请好心的你帮这个年轻人洗个热水澡，换身干净的衣服呢？"

她小心地看了我一眼，问："他会咬我吗？"

"除非你招惹他。别拿棍子去戳他，你就安全了。"

"热水要十美分一桶。"她说，感觉非常生气，又接着说，"肥皂还要五美分！"

弗里波特教授从他的马甲口袋里掏出几枚硬币。"绝对值这个价钱，你会发现的。这个孩子有才，相当有才。他把瞎话编得跟蜜糖一样甜，比蜜糖还要爽滑两倍。把他洗干净，我们在路上就可以欣赏他的表演了！"

★21★
被印第安人煮了

在我的印象中，洗澡差不多就等于和肥皂一起被淹死，我从很小的时候就无法容忍洗澡。哈罗德说我们亲爱的妈妈以前把一个大铁锅放在热水管子下面，把我像土豆一样泡在锅里，每一次我都大喊大叫。于是很自然地，我尽量劝说米娜瓦，那位文身女士，把买热水的十美分节约下来，买点太妃糖和甘草露什么的，要不然买点薄荷给她自己通通鼻子，顺顺气儿也不错。

"洗澡浪费时间、金钱和精力。"当她把我拖进轮船码头不远处的一条小巷子时，我这样对她说。那条巷子很昏暗也很狭窄，两边是摇摇欲坠的窝棚和斜向港口的简陋的房子。"不干不净人才没病。"我坚持不懈地劝说，"你看，我只需要往手上吐点唾沫，然后在我裤子上擦一擦。看见没有？跟新的一样。"

她看了我一眼，那眼光简直能让黄鼠狼羞愧致死。"第一，钱是弗里波特先生的，我们不能拿来买糖；第二，管好你的舌头，要不然你就得吃肥皂，听懂了吗？"

"那第三是什么？"

"第三？"

"要是有人说第一什么什么，然后又说第二这个那个的，一般他们都会接着说第三如此这般。不可能只有第一和第二，肯定还有第三。"

大家都知道红头发的人容易激动，这在文身女士身上得到了很好的印证。她没有再多说一个字——连个唾沫星子都没有——就直接把我提溜起来像件衣服一样横在她的屁股后面，我还没有数到四，我们就已经进到了一个热气腾腾的小窝棚里，然后她把我交给了烧水的印第安人。

印第安人把我扔进一个大大的洗衣服用的木桶里，里面全是热热的肥皂水。他们把我像件脏衣服一样使劲地刷来刷去，一边刷一边用一种听起来像一大口袋铃铛从楼梯上滚下来发出的声音的那种语言相互聊着天。我知道他们应该不是我们缅因州里那种住在树林里靠伐木、捕鱼和打猎为生的印第安人。这些印第安人是从中国来的——他们长着一样的眼睛，可是来自不同的部落。

“你最好规矩点。”当他们用毛茸茸的毛巾把我擦干，再换上干净衣服的时候，米娜瓦警告我，“如果我告诉他们你是一个猪娃的话，他们会把你当晚餐给吃了。”

很显然，那个发生在食人族小岛上的沉船事故让米娜瓦觉得所有的外国人都是食人族。

“告诉你吧，印第安人不吃小孩，”我对她说，“他们更喜欢吃红头发的成年女性。”

我觉得这话会让文身女士觉得尴尬，至少也能让她气得耳朵冒烟。可是出人意料的是，她非但没生气，还大笑了起来。

“芬顿说得对，”她一边说一边笑，“你这孩子真有意思。”在回去的路上，她给我买了一袋太妃糖，还给自己买了一瓶薄荷。“帮我通通鼻子顺顺气儿。”她说着，又笑了。

我们回到轮船码头的时候，弗里波特教授已经备好马车准备出发了，他好像很着急，想马上关上车门立刻走人。

“周围有些鬼鬼祟祟的人。”他对米娜瓦说，他的胡子因为紧张而在抖动着。

“你是说警察吗？”她爽快地说，“他们在哪儿？”

“不是警察，”他压低了声音说，“是间谍，到处都是。非常聪明的间谍。”

"间谍?"她大声地问,"间谍怎么会对我们有兴趣?"

弗里波特把一根手指放在嘴巴上,说:"嘘,女人。隔墙有耳。"

然后他注意到我站在那儿,而且我听见了他说的每一个字。

"看我这坏习惯,"他说着,清了清嗓子,"我就是喜欢开这样那样的玩笑。这个玩笑可真是荒谬啊。"

他又说了一会儿,大笑着假装刚才他说的那些鬼祟的人和间谍什么的都是开玩笑罢了,可是我或多或少知道一些掩饰真相的把戏,而芬顿·J.弗里波特先生,他在说谎。

我决定要睁大眼睛,以防万一。

★22★
马车的秘密

　　弗里波特教授让我坐在他的旁边，就在驾车人的正上方。马儿脚步沉重地穿过了拥挤的街道，朝摆渡船码头前进。

　　我从没有在一个地方看见过这么多人，而且所有人都在同一时间朝着同一个地方前进。各种肤色的人都有，白人、黑人、混血的，有一群人看起来像是中国的印第安人，还有一些我从来都没有见过。有穿着体面西服的男人，有拿着太阳伞和手套的女人，也有穿得破破烂烂的男人，还有穷困潦倒、蜷缩着身体一路乞讨的老妇人。所有人都行色匆匆，这让我觉得有点儿喘不过气。我想，要是再多一个人来到这曼哈顿岛的尽头，这个岛就会像一个餐盘一样滑进海里去。

弗里波特教授说这个城市的人口比整个缅因州的人口都多，这些人和数以十万计的马，数量更多的羊、狗、猫、牛，还有数也数不清的鸡一起挤在这个城市里。大家都呼吸着同样烟雾沉沉的空气，喝着同样的水。

那些马，他说，是一个特殊的问题。

"一匹马每天产生二十磅马粪，那么十万匹马呢？你觉得是多少？"

"一个大粪坑？"

"就在鼻子底下！"他高兴地说，"两千吨恶臭的垃圾！这让我无比思念新泽西的香气。"

"新泽西是什么气味的？"

"大概是青草和泥土的香气，我们一越过沼泽就可以闻到了，不过我们必须先过河。"

他时不时地往后面看去，像是在担心有人跟踪我们。我也看了，但是人太多了，根本没有办法辨别哪些是刚好和我们走同一条路，哪些是在跟踪我们。

有马车朝我们迎面驶来，驾车的大汉把鞭子甩得山响，大声地说着粗话，还打着粗鲁的手势。

弗里波特教授微笑着挥手致意，他吩咐米娜瓦躲在车厢里，以免她的文身造成交通拥堵。

"驾好你的马车，芬顿。我可以照顾好自己，你知道的。"她一边说，一边往四周看。

虽然她在嘲笑他提到间谍的事，但是我能感觉到，她自己也在小心观察。

而我，也尽量地去观察在我们小小的大篷车队里驾最后两辆马车的车夫。以我的观察来说，当我们在鹅卵石路上前进的时候，他们俩看起来都很正常——就是长着胡子的普通人，软沿的帽子遮住了他们的眼睛。

"坐下，别添乱，"弗里波特教授说，"你会惊到马的。"

"马车里有什么？"我问。

从弗里波特教授和米娜瓦遮遮掩掩的行为来看，他们一定是藏了什么东西在马车里。那些东西肯定比装成猪的小孩更让人兴奋。

"啊！"弗里波特教授说着，眼睛里闪过一丝幽默，"你猜到了，是吗？"

"我猜到应该藏着什么东西，可是我不知道到底是什么。"

"耐心点儿，年轻人，今天晚上你就会知道我们所有的秘密，不过在那之前可不行。"

不管我怎么恳求，他都不肯告诉我马车里的秘密，最后我决定闭嘴，自己等待机会。

摆渡船码头和街道一样拥挤，一大群人不耐烦地等着要过哈得孙河。有些人是走路来的，有些人坐着马车。客轮每一刻钟发一班，以时钟为准。客轮上有平坦的甲板，马车可以直接驶上船，在河两边都有蒸汽运输船。

汽笛响了起来，大门打开了，有个人大喊着："全都上船！"

十分钟后，所有的马车、马，还有人，都上了船，朝新泽西城进发。

河面上到处都是各种大小的摆渡轮船、客轮，还有小船，一眼看去仿佛整个世界都漂浮在水面上。在我们身后，曼哈顿岛已经渐渐模糊了，看起来好像是由雾和小木棍子建成的似的。摆渡船的六烟囱里冒出的灰白色的烟让我想起了司昆廷姨父的烟斗，他会不会想念我们呢？他应该会想念我们给他干的那些活儿吧。

很奇怪，我居然有点儿想念农场，那个谷仓是我们的家，老马鲍勃，还有奶牛贝丝和弗洛斯。我也说不好我有没有想念司昆廷。这些都不让人吃惊，正让人吃惊的是，在新泽西的码头，我的哥哥哈罗德，穿着蓝色的制服高高地站在那里等着我。

我的哥哥，哈罗德，和我的生命一样重要的人。

★23★
枪　声

　　摆渡船刚一挨到码头，我立刻冲下船跑了过去，我想这真是我的幸运日，我的冒险才刚刚开始就已经找到了我的哥哥！事情还不算赖，只不过才被劫持了一两次，被抢劫了一次，被扔进猪圈一次，然后上了奇妙的大篷车，还被印第安人煮了一次。

　　我已经开始在脑子里想，该怎么给哈罗德讲这个故事才能让他大笑起来。他是个严肃的人，不怎么笑，不过当他笑起来时，那感觉就像有人奖励了你一个银币，那么光彩照人、那么闪亮，声音听起来是那么真切，我一路赶过来就是为了听到他的笑。

　　"哈罗德！哈罗德！是我！我是荷马！"

　　我在穿着新制服的士兵的海洋里奋力向前冲，他们都穿着深蓝色有四颗纽扣的上衣，天蓝色的裤子，戴着军帽，每个人都背着一个黑色的帆布背包用来装食物。大多数的联军士兵都在闲逛，等待着火车把他们运到南方去。这里就像是一片蓝色的羊毛呢子大衣的森林，充斥着汗味和鞋油的气味。

我想要是我能在哈罗德上火车之前找到他的话，那我们就能在他出发之前把问题解决了。"我们"是指我和弗里波特教授，因为他认识军队的人，也许他可以帮助我。

"哈罗德！哈罗德！"

终于，他听到了我的声音。

等我冲到他面前，我才发现我认错人了。我的胃里一阵恶心翻腾，几乎摔倒在地。那不是哈罗德，他是另外一个人，只不过身形和站姿看起来很像哈罗德罢了。

"你……你不是……哈罗德！"我停下来使劲喘着气。

"二等兵托马斯·芬奇，马萨诸塞第十五营。"他大声地说，声音掷地有声。

"抱歉，我在找我的哥哥，哈罗德·菲戈，从缅因州的松树沼泽来的。"

二等兵芬奇摇了摇头说："我确信以前集结在这里的缅因州的士兵已经开拔了，你哥哥一定就在里面。"

"好的，"我喘着气，使劲眨着眼睛不让汗水流进眼里，"谢谢你。"

我正打算去找弗里波特教授和马车，突然脑袋里灵光一闪，于是我转过身去抓住芬奇僵硬的呢子大衣的衣袖说："二等兵芬奇，如果你碰巧遇到了来自缅因州松树沼泽的哈罗德·菲戈，能不能转告他让他回家？他的弟弟，荷马，快要死了。可以吗？"

　　"如果我遇得到他的话，我一定转告他。"二等兵芬奇说，"可是战争的规模很大，我怎么认得出他呢？"

　　"他和你长得很像，只不过看起来个子比你还高一点儿，身板再壮一点儿，也更英俊一些。"

　　"是真的吗？"二等兵芬奇咧嘴笑了，"我会看着办呢，荷马。你就是荷马·菲戈，对吗？"

　　我耸了耸肩说："也许我就是吧。"

　　"我必须得说，我年轻的朋友，你看起来健康得很，一点儿也不像是要死了啊。"

　　"这个无所谓。你会转告他吧？"

　　"当然了。"

　　芬奇朝四周看了一下，又微微笑了，然后他忽然端端正正地给我敬了个军礼。"谢谢你，荷马·菲戈。我也要给我的弟弟写一封信。他比你高一点点，稍微壮一点点，也更英俊一些，他也愿意为了让我安全地回家而假传自己的死讯。"

　　然后他消失在了蓝色呢子大衣的汪洋里。

片刻之后，文身女士抓住了我的衣领。因为是从人群中挤过来的，她也像我一样气喘吁吁。

"我们还以为把你给丢了呢，孩子！"她偏着头看了一眼我的脸，然后盯着我的眼睛说："这是怎么了？你哭过？"

我摇头，于是她不再多问。

那天晚上，魔幻大篷车在我加入后进行了第一次演出。我们的演出地距离新泽西城终点站足足有十英里，是一个地势低洼杂草丛生的乡下地方，离海边不远，旁边就是一个部队的营地。在茂密的高草丛中，有不下一百个白色的帆布帐篷，起伏的枪声和男人们的叫喊声一直响到了天边。

"那边是在打仗吗？"我一边问一边从位子上站起来，好看得清楚一点，"这就是战争吗？"

"战争离这里还远着呢。"弗里波特教授给我解释说，"这些是新兵，在训练。"

我们把马车停在一个被陡峭的砂岩包围的地方，弗里波特教授说这里可以避风，这同时也让我们的位置很隐蔽，要是不知道路的话是找不到这里的。

"一般大家都不是很喜欢看药品展演，"他对我说，"他们觉得这是扰乱军心，但是我们觉得这些年轻人在度过了艰难又漫长的一天之后，应该寻点儿乐趣。所以我们尽量娱乐大家，不过也要十二分的小心。"

当我们把道具卸下来准备演出的时候，另外那两个驾车的车夫就步行到军队的营地去，告诉士兵们我们在哪儿，也打听一下他们想看我们表演什么节目。

我和米娜瓦负责为晚上的演出挂起灯笼，点上火把，然后还拉起了横幅，插上了彩旗。

一阵暖风吹起了横幅，那上面的字好像是在空中跳舞。

弗里波特公司的神奇万能药！
来自食人岛全身文身的女士！
天才杂技高手布里诺兄弟！
让你大开眼界的猪娃！

真正让人激动的事情是，我迫不及待地想要看演出，而我也会参与其中。

★24★
小猪荷马的三声猪叫

当最后一缕蓝色的暮光从傍晚的夜空散去，士兵们开始成群结队、三三两两地走来。他们或是互相小声说着话，或是压低了声音笑。他们本来不该到这个地方来看药品展演，而是应该在营房就寝。

"我们在每个营地最多就待一个晚上，"米娜瓦一边给我解释，一边用又长又肥的袖套把文满了文身的胳膊给罩上，"像我们这样的人，流浪艺人，我们必须不停地换地方，不然就会犯法的。"

"我们现在正在做的事情，就是卖药这个事，是犯法的吗？"

"也不尽然，"她说得有点勉强，也没有看我的眼睛，"其实应该说陌生人是不受欢迎的，反正不能久待。"

演出开始的时候，我们俩，我和米娜瓦，都躲在最大的那辆马车上。因为米娜瓦用长袖套罩住了胳膊，而我是让人大开眼界的猪娃，我们要到演出最后才会露脸。

我从帆布围的缝隙中偷偷看过去，马车旁边搭了一个小小的木质舞台，弗里波特教授正一边拍手一边跳上舞台。

他的帽子高高的，及膝长靴亮得像黑色的玻璃，大衣上的纽扣是金质的，每一颗都价值五美元，那些纽扣在油灯下一闪一闪的，好像小太阳一样。

"晚上好，勇敢的先生们！欢迎来到这魔幻的大篷车！愿万能的上帝保佑联军从胜利走向胜利！新兵战士们，你们接受训练消灭敌人，毫无疑问胜利在向你们招手！为了能一路陪伴你们，减轻你们在战场上的悲伤与痛苦，为了消灭你们湿漉漉的帐篷里的跳蚤，为了更干脆利落地杀死那些吸你们血的害虫，坦率地说，是为了在你们最需要的时候给予你们勇气，我，光荣地毕业于远东古代大学的芬顿·J.弗里波特教授，为大家研制出了最棒的强力兴奋剂。这种兴奋剂可以振奋你们的精神，让你们的眼睛重现光彩！这种兴奋剂可以在最开始就让你们摆脱罪恶，置身于柔软的母亲般的怀抱。"

年轻的士兵中传来一阵窃窃私语，许多人举起了手，好像要去抓住那看不见的药瓶子。

"耐心点儿，我年轻的英雄们！耐心！耐心！演出结束后我们就开售兴奋剂，之前可不卖。不用担心，每个人都能买到！现在，要是有哪个好心的小伙子能帮我把五弦琴拿上来，我就给大家演示一下，我是怎么仅仅用一瓶弗里波特教授的兴奋剂就治好了我的风湿性关节炎，让我的手指头变得灵活，还让耳朵听得更清楚！听我讲，等着大开眼界吧！"

教授开始弹奏起了五弦琴。五弦琴发出了悲伤的音调，那是悠缓的《在旗帜下集合，士兵们》的曲子，紧接着他加快了曲子的节奏，古老的五弦琴真正地欢唱起来。那些士兵们开始一起跟着打节拍，有些人唱了起来。就在大家觉得歌曲已经演奏完毕的时候，米娜瓦从教授身后闪出来接过五弦琴继续弹奏，中间甚至没有漏掉一个音符。

大家都欢呼起来！米娜瓦冲大家笑了一下，然后弹奏出一连串欢快得犹如礼花绽放时发出的叮咚声般的音符。接着她和教授一起联手演奏五弦琴。米娜瓦用手指在指板上定音，教授用双手十指在琴弦上迅速地拨动，手指头快得都看不清楚了。

我从来没有听过这么振奋人心的四手连弹五弦琴，好不容易才忍住没有从马车里冲出去和大家一起欢呼。当歌曲最终演奏完毕的时候，米娜瓦和教授手拉着手鞠躬谢幕，士兵们报以热烈的掌声。

要是在松树沼泽的话，这么精彩的五弦琴演奏应该已经是年度最佳表演了，但是在魔幻大篷车，这才不过是一个热身。掌声还没有平息下来，也不知道从什么地方就冒出两个壮汉，手里耍着燃烧的火炬，嘴巴里还不停喊着号子。

原来天才杂技高手布里诺兄弟就是那两个长着大胡子的马车车夫啊。米娜瓦告诉我说布里诺不是他们的本名，那是教授给他们起的艺名。不过他们确实是兄弟俩，而且他们会像金花鼠一样翻跟斗，任何东西只要到了他们手里就可以拿来杂耍——燃烧着的火炬啊，木桶啊，砖块啊，盒子啊，甚至是三把小椅子都能耍得起来。

在他们的节目最后，他们从士兵当中选了一个小个子到舞台上——是个比我个头大不了多少的鼓手——他们拿他耍了起来，这可把舞台下面小个子鼓手的朋友们给乐坏了。

天才杂技高手布里诺兄弟表演完毕后，弗里波特教授又走上台去。

"先生们！伟大的罗马勇士马克·安东尼有句名言'把你的耳朵借给我'，现在我要讲述一个故事，一个关于哀伤的神秘的故事，一个折磨人的悲剧。这个奇怪的故事发生在缅因州广袤的北方森林里，在那里熊和麋鹿在松树林中嬉戏，那羽毛般的松枝几乎触及天堂。在那昏暗的密林深处到处是黑暗如月影的狼群，人类还没有踏足这片远古的土地。然而就在最近，一群善良的印第安人在这个地方发现了一个奇特又非凡的动物。那些印第安人发现，在他们设下的一个陷阱里，有一个瑟瑟发抖的、咆哮着的动物，在古代，人们把这种动物称作半兽人。这是一种杂交的人，一部分是人，一部分是猪。半个男孩，半个猪。你们相信吗？我感觉到的是怀疑的气息吗？你们中间是不是有人不相信啊？那么，先生们，准备好大开眼界吧。隆重推出——叫你大开眼界的猪娃！"

教授那充满煽动力的声音在夜晚回响，他高高举起了手里的灯笼，照亮了从马车里慢慢推出来的一个像猪圈似的笼子。

笼子里有三只惊慌失措、不停尖叫的小猪崽。三只小猪，还有我。我也在叫，我在笼子的食槽里呼噜呼噜地拱着鼻子，不时亮出我的牙齿，假装随时准备要去咬住那些离我太近的手。

"往后站，先生们！靠后，我说靠后！小心，这东西咬人！上个星期，他把一个人的手活生生地从手腕处咬断了！他咬掉过鼻子、耳朵，有一次还把一个独眼水手唯一的眼球都从眼眶里啃出来了！"

我身上除了一条小内裤就没有穿别的了，不过这也没有关系，因为我全身涂了一层厚厚的脏东西，我的皮肤根本就不会露在外面，就好像我穿了一件特别脏的衣服一样。米娜瓦把树叶弄到我脑袋上，把我的头发弄得乱蓬蓬的遮住了耳朵，然后又在我屁股后面粘了一条小小的卷毛的尾巴。当她拿起一面小镜子让我欣赏我们的成果时，我几乎尖叫起来。

镜子里的那个野兽不是我，不可能是我，会是我吗？

事实上，我被自己的样子给吓了个半死。不仅仅是因为我看起来又脏又凶狠，还因为变成一只猪娃实在是太有意思了。

我喜欢摇我的假尾巴。

我喜欢龇牙咧嘴像一只掉进陷阱里的动物那样尖叫。

我喜欢去吓唬那些比我年长一倍的士兵，当我要去咬他们的手指头时，他们会像被吓坏了的孩子似的往后退。

能这么令人惊奇真是太有意思了，我变成了演出中的明星，每个人都看着我——即使我得扮演成一只猪。不久以前，我确实觉得与其说我像个人，不如说更像个动物。

"小心，他会把你的手咬下来的！"一个年轻的士兵一边吼一边往后退。

我的脑子里有个声音在尖叫："我终于被放出来了，

我可以去咬所有折磨过我的人。"不过我不能用人类的语言尖叫，我只能发出像猪一般的叫声。

"愤怒吧，可怜的小畜生！"教授大声吆喝着，手里的灯笼也在不停地挥舞，"为你自己悲剧般的存在愤怒吧！为你被如此羞辱地关在这个恶臭的监牢里愤怒和咆哮吧！"

他转过身去面对着那群无比惊诧的观众，一只手摸着胸口说："先生们，我想问问，一个杂交的动物，既不是这种动物也不是那种动物，就像他一样，他会有灵魂吗？他死后会见到上帝吗，还是他只能归于尘土？人拥有灵魂，而动物没有，我们学到的便是如此，可是半兽人呢？他会有一半的灵魂还是一点儿都没有呢？"

士兵们都沉默了。唯一还在发出声音的就是我，吭，吭，吭。

"只有上帝知道答案，"教授激昂而严肃地说，"把这个可怜的小畜生弄走！"他吩咐布里诺兄弟："把他藏起来，不要让人类的眼睛再看见他！先生们，这个猪娃是无药可救了，但可以肯定的是，你们在座的每一位都是有药可救的！"

布里诺兄弟在我的笼子上罩了一个大口袋，然后把我抬进了马车。

当米娜瓦拿出那些药瓶子的时候，教授那金子般的声音浸染进了夜色里。

　　"都过来吧！弗里波特的魔幻兴奋剂能治愈你的一切病痛！保证满意！士兵们，一美元一瓶！物超所值！只要购买一瓶，就可以看一眼来自食人岛全身布满文身的女士！"

　　我回到马车里的时候，已经有一桶肥皂水在等着我了，我可以把自己洗干净，又变成人。我掀开帆布，看着那些士兵把药瓶子倒过来拿在手上，他们的眼睛都死死地盯着灯笼。

　　就算身上还有厚厚的一层猪的秽物，我还是可以闻到所卖药品的气味。

　　我知道那是什么气味。

　　威士忌。

　　弗里波特教授的魔幻兴奋剂只不过是威士忌罢了。

★25★
看见了大象和死亡

    我九岁那年，哈罗德偷偷带着我去过在斯考希根举行的博览会。我说偷偷去，是因为老司昆廷不让我们去，他说去看博览会会让我们学坏的。我猜，他的意思是博览会上大家都会玩得很开心，所以就不好，反正司昆廷应该是这么想的。按他的意思，人只有在悲惨的时候才是最好的，所以他一辈子都尽量处于悲惨的状态，而且他很大方地想让周围的人都变得跟他一样悲惨。

    斯考希根的博览会会址有点儿远，哈罗德说服了松树沼泽的一个农夫，带着我坐在农夫运蔬菜的车子后面。你可能想不到那辆车后来掉了一个轮子，我们最后不得不步行了差不多二十英里。我一直打退堂鼓，想掉头往回走，因为我的脚走疼了，可是哈罗德叫我不要放弃。

当我们终于到那儿时，我觉得真是不虚此行。我还没有在一个地方看见过这么多的人，而且几乎每一个帐篷和摊位前都在卖吃的东西：炸面块蘸糖霜，撒着肉桂粉的炸面包圈，烤牛肉和烤鸡翅，腌渍的鳗鱼和鲱鱼，蘸着糖的这个或者是和着蜂蜜的那个……我们靠捡别人吃剩下的东西就吃饱了肚子。

我吃得太多，都有点儿恶心了，但是我才不管呢——我接着吃！

在一块大大的满是尘土的空地上，人们圈起了一块场地，大家尖叫着，挥舞着手里的票。这里展出的是华丽的马车和农场用具，马匹从采石场拖来几吨重的石头，还有明码标价的牲畜。到了晚上，在一个特殊的帐篷里，有女人只穿着内衣跳舞，展示她们光着的脚踝。

那是我第一次闻到人群中散发出的威士忌的气味，就在那个有女人跳舞的帐篷外面。当然我们是不能进去的，我们还是小孩，但是我们可以一直站在外面有的人喝得烂醉，他们会给我们一个便士，让我们把他们扶到马车里去，这样他们才不至于睡在稀泥地里。

也就是在那儿，在斯考希根博览会，我知道了原来威士忌可以把男人变成大笨蛋。

威士忌也把新泽西的男人变成笨蛋了。他们手里攥着药瓶子就好像自己是要渴死的人，而瓶子里装着的就是救命的水。有的人摇摇晃晃地站着，有的人跪了下去，有的人莫名其妙地大笑，还有的人因为想家、想妈妈，哭了。

我觉得让士兵们喝醉了不太好，但是弗里波特教授说，如果我想要找到哈罗德的话，我就必须要学会适应。

"这些小伙子，他们中的每一个人，都是后备兵员。你知道什么叫后备兵员吗？"他问我，我摇了摇头，于是他接着说："意思就是再过几个星期他们就要去顶替那些已经在战斗中牺牲或者是死于疾病的士兵的位置，他们中的很多人也会死，而兴奋剂可以给他们勇气，哪怕只是一小会儿。"

"有的人吐了，先生。"

他耸了耸肩，说："他们在战场上也会呕吐的。战争是很恶心的事情，荷马。威士忌只是威士忌而已。不管你明白还是不明白，我们其实是为了这个目的在做买卖。"

"我懂了，先生。"

"今天晚上他们看了令人惊奇的猪娃表演，还稍微有点儿醉。在夏天结束之前他们还会看见大象，很多人还会看见坟墓。"

"大象是什么，先生？"

"看见大象"是士兵们的暗语，意思是说"参加战斗"。

我祈祷着哈罗德永远都不要看见大象。

我们沿着崎岖的道路艰难行进了两个星期。每天只能前进几英里，每天晚上我们都在这个或者那个军营附近搭起舞台，然后卸下行李，再在表演完了以后卖药。有的时候我和教授还有米娜瓦坐一辆马车，有的时候我和杂耍兄弟坐在一起。杂耍兄弟——伯纳德和特里兰，这是他们的真名——我一开始感觉他们特别爱讲笑话，可是后来我才明白，他们一直担心要是在同一个地方待太久的话，他们也会被征入军队。

"没什么好怕的，兄弟，"伯纳德说，这时我们正缓缓朝着南方前进，"要是军队把我们抓住了，我们就可以用炮弹来耍杂耍啦。不然我们还可以用牙齿去咬子弹。"

"子弹多半会射进我们的脑子里吧。"特里兰翻着白眼说。

"我们还有脑子啊？"伯纳德说。

"小是小了点儿。"特里兰说，"没有那么聪明去思考，不过差不多够杂耍用啦。"

特里兰不光会杂耍，他还是大篷车队的厨师，而且他的厨艺相当不错。他可以把土豆做出六种不同的口味，还可以用一个比较深的铁煎锅煎鸡肉，他做了一道叫"王牌"的菜，吃起来就像是包着面包皮的炖牛肉。我最喜欢的菜是鸡蛋、香肠还有饼干，这些不仅可以当早餐，而且在一天当中的任何时间都可以吃。

有一次，两兄弟特别想吃猪排当夜宵，特里兰问我介不介意把和我一起关在猪圈的小猪贡献出来一只。

"除非你们踩在我的尸体上！"我跟他说，我的耳朵一下就发烫了，"如果仅仅是因为你饿了，你会把伯纳德煎来吃吗？你休想碰我的朋友！"

伯纳德嘿嘿地笑起来，对特里兰摇了摇头说："我都跟你说了，他考虑问题时就和一头猪一样，所以才说得那么果断。"

"还有那条小尾巴。"特里兰说。

弗里波特教授把答应我的事情做得很好。每到一处军营他都帮我打听哈罗德的下落，尽力确认哈罗德被派往了哪里。我们遇到的大多数士兵都是从新泽西和纽约来的，不过也有两次遇到了从缅因州来的军队。

让我失望的是我的哥哥不在里面。

一个头发花白的波兰裔中士告诉我们，许多新兵都将被派往缅因州第二十志愿步兵团去顶替那些因为天花爆发而染病的士兵。他吐了一口唾沫，唾沫里夹杂着许多烟草，然后他用袖子擦了擦胡子。"我们在塞勒维尔和盟军打了一仗之后，李将军就离开弗吉尼亚，朝北方来了。"他说，"听说是这样，不过谁都没有告诉过我们任何消息，所以，这多半是谣言或者是谎话吧。"

"是真的吗？"教授说，他听起来好像很感兴趣，"李将军来北方了？”

罗伯特·E. 李将军是足智多谋的盟军老将，自开战以来他所领导的军队取得了大多数战斗的胜利，即便是最最勇敢的联军士兵，在谈到李将军的时候都充满了敬意。

那位中士瞥了教授一眼说：“有可能，你为什么这么好奇？你不会碰巧是个奸细吧？你是吗？”

教授大笑着拍了一下膝盖，说：“问得好，先生！我有可能因为耍流氓被绞死，但绝对不可能是奸细！不，不，先生，我们的好奇心是绝对单纯的！我们问这个问题是因为这个孤儿在找他的哥哥，他说他哥哥才刚满十七岁就被非法卖到了军队里。”

“他现在还不到年龄？”中士斜着眼睛打量我。

“是的，先生，我的姨父宣誓说我哥哥已经满二十了，就这样让他参了军，姨夫则拿到了钱。可是那个宣誓根本就是肮脏的谎言，哈罗德才刚刚十七岁。”

“那么你想要怎么样呢，小家伙，假如你找到他的话？他已经宣誓参军了，而且你说的只是你的片面之词。”

“我不知道，”我不得不承认，“可是我一定要找到他。”

中士又怀疑地扫了一眼教授，然后他猛地把脸凑到我跟前对我说：“试着去宾夕法尼亚找找看，波多马克河周围区域。最近几个月集结起来的新兵大多数都被派到那里去了，他们要准备参加接下来的战斗。还有，孩子——"

"什么，先生？"

"要一直低着头，因为很快空中就会子弹横飞了。"

那天晚上我因为担心哈罗德而睡不着觉。他那么壮又那么勇敢，他们很可能会让他在战场上扛旗子。盟军首先就能看见举着星条旗爬上小山坡的哈罗德，每一个南方分裂主义者的枪都会瞄准他。

我想象着罗伯特·E.李将军骑在他灰色的战马上，用他那把神奇的银色手枪瞄准了哈罗德，然后哈罗德倒下了，和手中的旗帜交缠在一起。

我想象着哈罗德躺在地上一直在流血，他的脸色越来越苍白，越来越苍白。

哈罗德死了。

我从最后一辆马车里我的小床上翻身起来，冲到夜色里，想吹吹外面的冷风让脑袋清醒一点。我真愚蠢——居然用哥哥在战场上可能会遭遇的场景来折磨自己。

其他的事情我都做不了，只能像那位中士说的一样，在跟着我们的小小大篷车队往西朝着宾夕法尼亚走的时候继续寻找。我要找到从缅因州来的军队，然后向长官们解释他们征错了一个兵，他们必须在不好的事情发生之前把我的哥哥还给我。

我在离马车后面好几英尺的一块大岩石后想事情，就在这时，有个人骑着马从黑夜中冲了过来。

一个男人骑着一匹黑色的马，马蹄上裹着布，防止发出声音。刚看见他时，我还以为他是来抢劫我们的。否则他在这么漆黑的夜里，鬼鬼祟祟地跟在我们后面干什么呢?

我正准备大叫让大家小心的时候，弗里波特教授从第一辆马车里跳了出来。他穿着黑色的外套以便和黑夜融为一体，从他行动的方式可以判断出，他是有备而来的。

教授和骑马人碰了头。他们谈了几分钟，因为说话声音太小，我没有听清楚他们在说什么。然后弗里波特教授环视了一下四周，确保没有人在偷看——他没有发现我在岩石后面偷看——接着他从黑色的外套里摸出一个皮质的小包，就是那种装邮件和信纸的小包。

教授把小包交给了骑黑马的人，那个人飞快地给他行了个军礼，然后打马离开了，就那样静悄悄地消失在黑夜里。

现在我睡不着觉已经有两个原因了：哈罗德和教授。在黑夜的掩盖下，教授神神秘秘地到底是要干什么呢?

★26★
可怕的黑色马车

关于妈妈的事情，我唯一能够回忆起来的大概就是她的棺材了。她的棺材散发着松木和樟脑的气味，很小。我们亲爱的妈妈在那么窄小的地方怎么能安睡呢？因为担心这个，我睡不着觉、吃不下饭，直到后来哈罗德告诉我妈妈已经到天堂去了，被埋在土里的不过是她留下的苍白的肉身罢了，那副松木做的棺材就足够大了。

直到今天我也没有弄明白，哈罗德说的肉身到底是什么意思。

"就是人死后留下的东西。"他对我说。

"你是怎么知道的呢？"我问他。

他说："是妈妈在去世之前亲口告诉我的。她说我们不必为了她可怜的遗体而难过，因为那只是肉身而已，她的灵魂已经飞去和上帝同在了。她在天堂可以住很大的房子，所以，荷马，你不用担心。"

那个时候我只有四岁，也就是说哈罗德那个时候也才九岁，但是他比那些大人都更能安慰我。如果我挨着哈罗德睡的话，我就能睡很长时间，因为我知道他不会离开我。

是什么让我想起那副棺材和哈罗德的呢？是因为我在路上遇到了一队黑色的马车，就在离宾夕法尼亚的伯利恒不远的地方。那些马车看起来像是用来拉干草的，但车上并没有干草。马车由四匹马拉着，整个车厢都被黑布罩了起来，黑布上还印着联军的徽章。

在那块黑布下面，廉价的松木棺材隐约可见。

教授让我们的小小大篷车队靠到路边，让拉遗体的马车先过，而我们则脱帽颔首站在路边致哀。

当最后一辆马车通过的时候，一个车轮滑落出来，马车差点儿翻了。教授赶紧冲过去帮忙，还吩咐伯纳德和特里兰帮着修车，而他就在一边和车夫聊起天来。

"你们做的工作很了不起，给那些刚刚失去亲人的人带去很多安慰。"他说，"为什么这些牺牲的士兵没有埋在战场上呢？"

"当然大多数都是埋在战场上的，"车夫一边说着一边用一条脏毛巾擦着额头上的汗，"这些可怜的勇敢的士兵是因为负伤在战斗过后才牺牲的，所以他们可以回家乡了。"

"这场战役是在哪里打的呢？"教授问，"我们只零零碎碎听到过一些关于战争的消息。"

"主要是小规模的冲突，"车夫说，"部队一直在迂回，想要占领有利地势。"

"我估计应该是在波多马克河附近，对吗？"

车夫疲倦地摇了摇头说："是在河的西岸，李将军最近一直在攻打哈里斯堡。联军派兵去找李将军的下落，结果他们就这样回来了——浑身是伤，死了。有的是因为伤重死的，更多的是因为疾病和发烧死的。真是让人难过。"

"非常令人难过。"教授说，"告诉我，先生，你需要点温和的奎宁吗？就是提神剂。"

教授说的其实就是他的兴奋剂，车夫很乐意地接受了。从瓶子里呷了一口兴奋剂之后，这位疲倦的车夫话更多了，开始和教授讨论战争的形势。

好像盟军在取得塞勒维尔战役的胜利之后就如传言里说的那样往北方挺进了，一路进攻到了宾夕法尼亚，伺机要直插联军的心脏。

"他们说只要李将军再多打赢一场仗，战争就可以结束了，南方就胜利了。"

"当然不是了！"教授看起来非常难过，"我们的胡克将军也非常能打仗，难道不是吗？"

"胡克？"车夫一边奇怪地看了他一眼，一边又喝了一口"药酒"，"你还没听说吗？好战的乔·胡克因为脾气太臭还是太绝望，已经辞职了，没人知道具体原因。林肯总统已经让米德将军接替了他的位置，还命令米德将军不惜一切代价拦截住李将军的军队。"

"米德在负责指挥？太不可思议了！"

"你对联军的将军们有所了解，是吗？"车夫怀疑地问。

教授清了清嗓子说："只是在报纸上看见过一些，米德将军我就只知道他的名字，真的。"

车夫耸了耸肩，说："啊，好吧。我们不该有什么抱怨的，我们能做的就是在将军们一声令下的时候服从和牺牲。他们说北方有些州已经在叛变的边缘了，尤其是纽约，他们想让事情有个结果，用什么方式都可以。现在是战争最黑暗的时期，死亡的士兵数以千计，可这是为什么呢？为了解放奴隶？我根本就不关心什么奴隶不奴隶的！"

说完这个，车夫便不再说话。他一直在等着马车修好，然后他就驾着马车走了，死一般的沉默。

教授站在路上，看着运棺材的马车转了个弯，最后消失在远处，然后他拍了拍我的头。"别担心，年轻的菲戈先生，如果刚才那个人说的是真的，那么也许在你的哥哥参战之前战争就结束了。"

我希望如此，我不希望哈罗德被这样的黑马车送回家。

★27★
愤怒的气球人

有一天，风和日丽，我们到了宾夕法尼亚的兰开斯特城，风儿给我们送来了一份礼物。我们从前一天晚上就开始艰难地逃命，因为我们听说有个将军反对士兵喝教授卖出去的兴奋剂，派了一队人马来抓我们。

教授用银币疏通了来抓我们的人，可我们还是得逃走，天亮以前一定要逃出去很远才行。

我和特里兰坐在第三辆马车上，我一直劝说他停下来给我们做早餐吃。

"人们都说军队要吃饱了饭才能打仗，"我对他说，"那我们药品展览秀的人呢？难道我们就不需要吃饱肚子吗？"

特里兰直摇头，驾着马车一直走。"我记得在座位下面有双旧皮靴，你要是想吃东西的话，就拿出来嚼吧。"

"我听见的是什么呀？"我拿手捂住了耳朵，"是打雷吗？炮声？不是——是你的肚子在叫唤！你的肚子多孤独、多饿呀。煎饼，特里兰，炸土豆、草莓派。"

"草莓派？"

"我们刚刚经过了一大片草莓地，就在后面不到一英里的地方。用新鲜的草莓烤草莓派，哇！真美味。"我一边说着一边揉肚子逗他。

"不准说了，你这个小捣蛋！除非教授发话，我们才能吃早餐，否则的话绝对不行！"

就在这时，那个大大的黑色怪物被夏天温暖的风从天边吹了过来。当它飘过长满青草的小山坡时，它就像是一个做着鬼脸的巨人在俯视着我们。

"教授！"特里兰从座位上站起来，大喊道，"你看！"

当那只巨大无比的丝绸气球挂在天上的时候，我们的马车也停了下来。气球被风吹得一会儿鼓起来一会儿凹下去，不停地变换着形状，看起来就像是个活物似的。

当气球飞得更近一点儿，我看见气球下面用绳子挂着一个篮筐，有一个人在篮筐里，正在疯狂地挥手指着什么东西。在篮筐正下方还有一条绳子，绳子上挂着一个锚。锚不停地触地又弹起来。

"气球失控了。"特里兰说,他的眼睛一下子亮了起来，"伯纳德！我们去抓住那个锚！"

杂耍兄弟从各自的马车上跳下来去追气球。我跟在他们身后——尽量跟上。篮筐里的那个人在吼着什么，但是他离地面起码有一百英尺，他的声音根本听不清楚。

　　我们在山势起伏的乡下穿过齐膝高的野草，一直追赶着那个不停撞地又弹起来的锚。

　　特里兰的手碰到了锚，刚欢呼了一声就摔倒了，栽着跟斗摔进了柔软的草丛里。

　　紧接着，伯纳德从摔倒的哥哥身上跳了过去，伸手抓住了锚。气球把伯纳德拖了起来，等气球被风推着再飞起来的时候，伯纳德在篮筐下面打着旋。

　　"抓住我的腿！"他大喊着。

　　我用尽全力抱住了他的腿。有那么一会儿，有一股别的什么力量把我们拽了下来——是我的脚被草丛给缠住了。然后气球又飞了起来，我们俩都飞到了半空中，大喊着救命。

　　在我们下面，特里兰正在追着我们跑，叫我们赶紧回到地面上来。我们要是能下来的话肯定下来了，但是飞得太高了，我为了活命紧紧地抱着伯纳德的腿。当我们飘过一座小山的山顶的时，我们终于比较接近地面了。

　　我们飞得太快了，草地看上去都是模糊的。

　　"小心啊！"特里兰一边喊一边指着什么。

　　在山顶上隐约出现了一丛高大的榆树，我们正直直地朝榆树丛撞过去！茂密的枝丫恰似许许多多的标枪刺向我们。我正在犹豫要不要抓住机会跳下去，可是还没来得及多想，我们就已经嗖的一声撞了上去。

我最后看见的东西是和我的头围一样粗的树枝。

我是被香味唤醒的。那是平底锅里香喷喷的炸香肠的气味，还有煮咖啡的香味。

米娜瓦正用一块凉凉的湿布给我敷额头，我醒过来的时候她对着我笑了。

“好家伙，你的头可真硬。”她说，“算你运气好，你的脑袋没有在撞上树的时候像鸡蛋一样碎掉。你们那时究竟是怎么想的啊？你以为你们能像鸟一样飞啊？”

在我们头顶上，那个大气球还挂在榆树上，被风吹得来回摆动。锚缠在了树干上，气球现在看起来非常老实，你根本就想象不到当它被解放出来后，会弄死想要帮忙的人。

“真高兴看见你又活过来了。”伯纳德说着弯下身来拧了一下我的鼻子。

然后伯纳德费力地站直，他全身上下都被擦伤了，不过他觉得吃一顿早餐就可以恢复过来。特里兰在用能找得到的所有的平底煎锅做早餐。又是香肠又是鸡蛋又是煎土豆和洋葱，他把这个称为他的独家炒饼。

当看见我坐起来的时候，他抱着我又肿又疼的脑袋，抱歉地对我说没有找到草莓。

"我想回去找草莓来着,"他说,"可是教授坚持让我们待在气球这儿。"然后他悄悄地说:"他可能是想买下气球!"

肯定是——因为教授正在跟那个坐在篮筐里的男人恳切地谈着什么。那个人是个身材单薄、打扮时髦的年轻小伙子,留着黑色的小胡子,鼻子又长又瘦,一双炽热的眼睛显露出他是个有执著追求的人。

"未来是属于飞行技术的!"他带着极大的热情对教授说,"萨帝厄斯·洛就是活着的证明!九个小时飞了九百英里!"

这个叫丹尼·伯彬的年轻人解释说,萨帝厄斯·洛从俄亥俄州的辛辛那提出发,乘坐热气球在九小时之内到达了南卡罗来纳州的尤宁维尔。在那之后,他就被林肯总统委任为空军的长官。有一次,他的空军部队飞跃了弗吉尼亚北部,侦查出了盟军所处的位置。

不过最近,好像盟军的狙击手和炮兵已经学习了如何击落热气球——热气球确实是个很大的射击目标。

"一千平方码的布料!"伯彬先生热切地说着,"二万八千立方英尺的氢气,全部都是在战场上生产的!我们用了一万英尺的绳索让气球正常工作!在一万英尺的高空你可以看到地球的尽头。提尔达和我就看见了!敌人的动向完全没有任何秘密可言!他们的军队再也不能发动突袭！我告诉你，未来是属于空军的！未来，我说的是未来！"

可是突然间，他哽咽起来。伯彬先生给我们讲了一系列悲惨的事故，他的眼泪止不住地顺着脸颊淌了下来。因为一场没有预料到的大风，气球起火燃烧，整个飞行分队都被击落。伯彬先生的气球是小分队中的最后一个，他没有完成对波多马克山谷的侦查任务，也没有及时用电报给地面指挥部传达情报。

"是夏季风暴！"他痛哭着说，"我看见了雷电云聚集起来，可我还是不管不顾地下达了降落的命令！都是我的错，不是提尔达的错！这是我们证明飞行部队威力的最后机会，可是我却搞砸了！我犯了如此可怕的错误！哦，提尔达，我是不可饶恕的！"

这个年轻的飞行员一边讲一边痛哭，弗里波特教授轻轻拍着他的背，安慰他。

"那不是你的错，善良的先生，你没法为恶劣的天气负责。"他对他说。

过来一会儿，伯彬先生冷静了下来，接过了米娜瓦递来的一杯咖啡，仿佛到这时他才开始注意他周围的环境。"我这是在哪儿？要准确位置。"他问。

"在兰开斯特附近。"教授对他说。

"兰开斯特！原来如此。那么根据我的计算，我们大概飞了四十多英里。"他抬起头看了看挂在大榆树上的气球，"她是艘很不错的飞船，很明显，她有自己的意志。"

"请你给我们讲讲你的冒险故事吧。"教授的声音听起来非常和蔼又非常恳切，"你们可以侦查波多马克山谷？你能辨别出盟军的具体位置？你还能给联军的将军传递有用的情报？"

年轻的伯彬先生叹息着摇了摇头。"哎，不行了。空中有云，就在我和提尔达要到达最高点的时候，我们的缆绳松了，那真是一场灾难。"

"你一直提到一个叫提尔达的女士，那么你在执行任务的时候还有别的同伴吗？"

伯彬先生好像被这个问题给问住了。"别的同伴？没有，没有。'我们'指的就是提尔达和我。她是我唯一的同伴。"

"就是那个气球？"

"那是飞船！"

"当然，是的，绝对的，飞船。'提尔达'原来是飞船的名字啊。"教授若有所思地得出了结论，"米娜瓦，你给伯彬先生弄吃的了吗？我恐怕他的头脑可能因为饥饿或者缺氧有点不太清醒了。一万英尺确实很高，上面的空气应该很稀薄。"

"也没有稀薄到让我犯糊涂，如果你的弦外之音是这个意思的话。"伯彬先生听起来很生气，他受到了伤害。

"我不是那个意思！"教授对他保证着，"男人们总是用女人的名字给水上的船只命名，为什么就不能给飞船命名呢？仔细想想，提尔达这名字真不错。是的，她是个多可爱的家伙啊。"

"她不是家伙，她是一艘飞船！"伯彬先生抗议了。

"当然，是一艘飞船！请不要因为我们的无知而生气，好心的先生。我们完全被飞船给迷住了，可是她对我们的旅行事业会有什么帮助呢？"

"飞行技术会改变世界！"伯彬先生又恢复了热情，"总有一天，所有的人出去旅行时都要仰仗飞行。我们必须学会如何控制风！那就是关键所在！那就是答案所在！一旦我们控制住了风，我们就控制住了世界！"

"我猜是风车？"教授小心翼翼地说，"你们是用风车来控制风的吗？"

那个年轻的飞行员失望地看了他一眼，说："你不信我就算了，但我的预言总有一天会实现的。人们可以飞行着去旅行，可以在空中组织战斗，也能在空中寻求和平。天空就是未来，陆地不是！人类应该得到自由！我们必须从地球重力的奴役中解放出来，要自由得如同天上的云彩，就像提尔达和我。天空，你听见了吗？天空！"

当骑兵冲过山坡把我们当叛军抓起来的时候，可怜的伯彬先生还在咆哮着。

★28★
教授被抓

说时迟那时快，吹个口哨的工夫我们就被一群脸色铁青的骑兵给包围了，他们手里的步枪全都瞄准了我们的脸。

"举起手来！"其中一个人大喊了一声，"谁要敢动，格杀勿论！"

队长翻身下马。他是一个高个子、相貌不错的年轻人，比弗里波特教授还要略高些，长着一双敏锐的黑眼睛和一个鹰钩鼻子。就和鹰一样，他的样子看起来充满危险的气息，仿佛随时都会扑上来。

他整理了一下白色皮手套，然后踱到营火旁边，还要了一杯咖啡。

"这些是咖啡豆磨的吗？"他端着一个破旧的马克杯问道，"还是你们沿袭了那些叛国者的习惯，往咖啡里加了菊苣？”

特里兰就站在营火旁边，看来完全不知所措。

“怎么不说话？”队长严厉地说，“李将军让你们不准交代？”

特里兰无助地看着弗里波特教授，教授总算是打起了精神，他开口说："求您发发慈悲，队长，这个人头脑简单，您突然到来让他犯糊涂了。"

队长哼了一声，用手摸了摸别在腰上的枪托。“头脑简单，是吗？我可不信。新兵或许会被你们的鬼话欺骗，可是我不会。”

“求求您了。我们欢迎您来喝咖啡，其实我们这儿的任何东西都欢迎您享用。”教授说得特别诚恳，“您的士兵想来点儿饼干和果酱吗，先生？我们的厨子脑袋虽然简单，不过他做的饼干非常美味。如果您愿意要的话，我还有——啊，很多很多的兴奋剂！”

队长喝了一大口咖啡，把渣子吐出来，然后把杯子扔到了火堆里。他大步跨到教授的跟前，近得几乎贴到了教授的身上。“你想用那些私自贩卖的威士忌把我的人给弄糊涂吧？”他非常平静地问，“那就是你们的逃跑计划，把我们灌醉然后你们逃跑？”

“那是缓解你们痛苦的兴奋剂。”教授回答，尽量站稳。

“那是威士忌！”队长咆哮起来，“廉价的威士忌！”

米娜瓦用手绢抹着眼泪，伯纳德和特里兰看起来都想动一动，可是因为害怕挨枪子儿，一动都不敢动。伯彬先生看起来相当困惑。而我，正在想要是一会儿真的打起来，我就像只松鼠一样爬到树上去藏起来。

　　队长从夹克口袋里掏出一张折起来的纸，然后宣读起来："雷吉纳德·罗伯逊·克鲁克特，又名芬顿·J.弗里波特，我谨代表美国政府，宣布以叛国重罪逮捕你。"他读完之后，抬起眼睛来说："居然把情报出卖给敌人，抓住他！"

　　四个士兵一人负责一只手臂一条腿，抓住了教授。教授一点儿都没有反抗，他面带失望地看着那个可怜的队长，当他们用铁链子捆住他的手脚时他也没有挣扎。

　　"我亲爱的队长，弄错了吧。我承认我卖兴奋剂给士兵，你要是追究这个的话，那是合情合理的。我也承认我卖的那些兴奋剂确确实实是加了一点红色三叶草咳嗽糖浆的威士忌，但是无论如何我也不会背叛我的国家，我的忠诚千金不换！"

　　队长眯缝着他的老鹰眼睛，目光看起来非常犀利。"我相信你，先生。你不会背叛你的国家，你有忠诚的气质。不过事实是，你的国家是盟军的国家，所以你是一个间谍，是个卖国者，你将为此付出代价。"

　　"不是这样的！给我拿《圣经》来，我要面对《圣经》

起誓！”

队长微微一笑，然后倾身向前，他那张尖尖的脸几乎都要戳到教授的黄色胡子了。“我可不是那么容易被说服的人。众所周知，那些拿着《圣经》说谎的人都觉得上帝是站在他们一边的，即便他们说了谎上帝也会保佑他们。不过万能的上帝这次离你有点儿远。我们奉命取你的性命，克鲁克特先生。你在弗吉尼亚很有名啊，你是南方叛乱者的坚决拥护者，我们联军的反间谍特工已经追踪你好几个月了。”

教授看起来很困惑。“克鲁克特？你说的克鲁克特到底是谁？我的名字是弗里波特，你们把我和那个人弄混了！”

“你就这么为自己辩护吗——身份搞错了？”

“我为自己的辩护是：我是无辜的，”教授抗议道，“你们到底认为我做了什么？”

队长站起身来，又理了理他的白手套。“你还想否认你打听过部队的动向吗？”

“我当然要否认！真是荒谬！我根本就没有——噢，等等！哦，是的。应该有那么回事。我知道发生什么了，我知道你们是怎么被骗的了。”教授笑容满面，看起来轻松了不少，“是那个孩子！他在那儿，榆树边上打哆嗦的那个小孩。他的名字叫荷马·菲戈，他一直在找他的哥哥，他哥哥被骗加入了换防的军队，岁数还不够。”

队长那双恶狠狠的鹰眼转向了我。"小孩，过来！"

我挪着步子往前走。他盯着我的那副样子又狠又冷酷，看得我直反胃，膝盖都打战。

"是这样吗？"他严厉地问，"是你叫这个人帮你找哥哥的？"

"是、是、是的，先生。"

"这个自称弗里波特教授的人，他是为了你的事情才打听联军军队动向的？他把士兵灌醉以后问了他们那么多问题，都是为了要帮你找哥哥？"

"是的，先生。他很好心，而且帮了我很大的忙，先生。"

"确实好心，"队长说着用戴着白手套的手捻捻胡子，"毫无疑问，事情对他有利的时候他确实可以很好心，这一点我不反对。"

"所以您明白了吧，这不过是个不幸的误会罢了，"教授一边说一边把手挣脱出来，"这种事情在战争时期时不时就会发生，队长。我跟你保证，我没有觉得太难受。"

队长哼了一声，揶揄教授说："你可真是个好人啊，先生。毫无疑问，作为一个弗吉尼亚人，你同时具备了勇气和荣誉感，不过让你我的手下感到害怕的时候，最好也能保持你的勇气和荣誉感。"

"可是，队长，你肯定已经明白了我是在帮这个孩子吧？"

队长耸了耸肩，说："这个孩子不过是你的借口罢了，游戏结束了，克鲁克特先生。"他冲一个士兵弹了弹手指头，"中士！逮捕这个罪犯！"

马匹纷纷给另外一匹马让路，那是一匹刚才被留在队伍后面没有被大家注意的小马。

一个人脸朝下趴在小马背上，他应该还活着，但已经没有什么意识了，一看就是遭受了毒打：两只眼睛都是淤青的，一张脸肿得像熟透的西瓜。即便是这样，我还是认出了他就是那个深夜来到营地，从教授那里取了密件的神秘骑马人。

这个可怜的人全身上下的骨头都被打散了，可是他一声都没吭。

看见这个受伤的人，弗里波特教授挫败地叹了口气。他的胡子垂下来，肩膀也垮了下来，就像有人把空气从他身体里抽出来了似的。

队长说："我明白你不会不认自己的弟弟。利维·克鲁克特先生，没赶上去弗吉尼亚的里士满。这几个月他一直都隐蔽着，就和你一样，不过他的包里有你给他的密报，他是被当场抓获的。在那封密报里，详尽地记录了联军的位置，是你手写然后由你弟弟在那天夜里送出去的。关于这点，没有任何争议，也不可能有任何理由或者任何聪明的谎言能改变它。"

"利维，对不起。"教授大声地喊着，声音低沉而洪亮。

队长满意地点了点头。"处置卖国贼的绞绳很快就会套在你们的脖子上，心平气和地面对上帝，克鲁克特先生，准备好去那个好地方吧。"

"谋杀犯！"米娜瓦尖叫起来，她用罐子砸向了队长，"杀人犯！"

那个罐子没砸到队长，而是掉到了他的脚边。他的眼睛像风暴中的黑色石块一般闪着寒光，不过他好像很开心。只听他命令道："把他们全都抓起来！那个文身的泼妇，那两个逃避兵役的卖艺的——还有，别忘了那个小孩！"

他话音还没落，我已经爬进了悬在气球下面的篮筐里，我的速度比受到惊吓的松鼠的速度还要快上两倍。

在树下，几个士兵哈哈大笑，他们争论着到底该由谁上树来抓我。

"我的天，他比一口唾沫大不了多少！"有人开始咯咯地笑，接着他们全都狂笑起来，笑得太厉害了，以至于不得不捧着肚子。

他们都没有注意到特里兰的菜刀不见了。当我用菜刀割断拴着锚的绳索，坐着那个巨大的、为联军制造的气球逃跑的时候，他们都还在大笑。

我最后听见的，是顺着风声传来的伯彬先生撕心裂肺呼喊提尔达的声音。

⋆29⋆
像只断翅的小鸟

在乘坐这个危险的气球飞起来之前，我去过的最高的地方是松鼠窝。那时候我差不多五六岁，有个模糊的概念是想去看看世界是什么样子的，也可能我就是想去抓一只顺着屋顶飞行的鸽子。事实上我已经记不清那时我的脑子里在想什么，我唯一记得的就是哈罗德站在院子里，请求我快下来。听他那样求我，我觉得好玩极了。

去吓唬那个总是对我那么好的哥哥是一件很不好的事情，不过那样做确实挺有意思，就像是我在考验他有多爱我。最后我是自己下来的，浑身上下擦伤得不成样子。哈罗德对我说，要是我胆敢再做那么危险的事情——像只猴子似的爬到那么陡那么旧的屋顶上去——他会亲手杀了我，但我知道他不是那个意思，这也让我感觉好极了。

我之所以提起这件往事，是因为我当时爬进气球篮筐里的时候脑子里什么都没有想，只有一个念头就是要逃跑，我也不知道砍断锚上的绳索到底意味着什么。我根本就没想过应该怎么下来，因为我觉得最后能下来是天经地义的事情。

　　没有了锚的重量，气球迅速升到了空中，上升的速度如此之快，让我几乎把胃留在了榆树上。那感觉就像是坐上了没有火苗的火箭。等我有胆子从篮筐里站起来往外看的时候，气球已经飞起来很高了。弗里波特教授和其他人都变得像蚂蚁一样小，而且还在越变越小。

　　我在直直冲向天堂，没有后路可退。

　　突然间风发出了尖锐的呼号，把气球吹得剧烈摇晃起来。篮筐不是猛地蹿起来又掉下去，就是左右摇晃。前一秒我还在气球下面迎着风惊声尖叫，下一秒就看见地面朝我冲过来，我不由得用尽力气抓住篮筐。

　　我要保住我的小命——这个巨大的、名字叫做提尔达的气球想要把我给吐出去，就像一只猫想把毛球咳出去一样！

　　正当我的心脏都要停止跳动的时候，篮筐回到了气球的下方，平稳了下来。我好不容易喘了口气，然后发现原来自己浑身发抖并不完全是因为害怕——飞得越高，就感觉越冷。

过了一会儿，我和气球都稍微平静了一些，我开始在篮筐里找东西，希望能找到些有用的。菜刀掉在了一边，篮筐里面有一罐水，还有一盒饼干。我一点儿都不饿——想要饿得有胃啊，我的胃已经留在榆树上了。

过了一会儿，大概有一百年那么久吧，我终于鼓起勇气从篮筐旁边往外看去。

这真是一个巨大的错误，在这么高的地方你根本就看不清楚任何人或者动物：玉米地看起来就像是巨大的旧被子上面打着的绿色破补丁，铁轨像是缝在地面上的针脚，它们把大地连在了一起。在森林和农田之外，村庄看起来就像是玩具一样，蜿蜒的河流在阳光下闪闪发光，地平线一直伸向了天边。

地面和天空一定是在那个地方交汇在一起的，就在那片遥远的朦朦胧胧的蓝色雾霭处。

我好像飞了好几个小时，我们，也就是我和大气球，一直追着太阳在朝西边飞，白天都好像变长了。人真的能适应一切，哪怕是像这样飞在高空中，过了一会儿我就觉得挺自然的了。我几乎以为我本来就是属于天空的，我本来就可以飞得比鸟儿更高。

从气球上看外面的世界，我觉得我不再是那个逃跑的孤儿，好像我要比缅因州松树沼泽的荷马·菲戈更高大一些。我觉得自己好像变成了所有曾经生活在这世界

上的人，我们大家一起俯瞰这世界，仿佛母鸡看着自己下的蛋一样。

这真是一个疯狂的想法。我怎么可能是每一个曾经活在这世上的人呢，我还只是个小孩子啊。肯定是因为空气太稀薄，所以我脑袋里才会有这种疯狂的想法，要不然就是因为气球喷出的烟影响了我。说起气球，它的形状一直在变，不过非常微小。我估计是风改变了它的形状，但是看起来真的像是气球在呼吸。气球表面那些小波浪就像是丝绸般的池塘里泛起的浪花，如果你使劲盯着气球看的话，你会发现气球里有一张脸，就像是月亮和云朵里会有一张脸一样。你看的时间久了，那张脸还会变化——她好像要告诉我一些重要的事情。

提尔达在跟我说话，虽然我听不到她的声音。

然后我意识到，在"气球脸"上看起来像是一张微笑着的嘴巴的那个地方，其实是一个破洞。

扯破的地方随着气体漏出去而忽闪忽闪的。

我盯着气球看的时间实在太久了，一直做着白日梦，什么脸啊云啊的，忘记了往下看。等我战战兢兢透过篮筐的边缘往下看的时候，地面正飞速向我扑来。

我们像断翅的小鸟般从天上掉了下来。

★30★
当尖叫响起来

　　离地面更近一些的时候，我们下降的速度更快了，感觉地球转动得更迅速了，我们的篮筐扫过了巨大的树丛，每次都是差一点儿就撞上。然后我们——提尔达和我——飞过了遍布岩石的陆地，地面上是骑马飞驰的人，他们手里提着猎枪，挥舞着大刀，彼此你追我赶。突然之间，马蹄下的土地炸开了花，人和马在刀光血影之中瞬间消失了。

　　我们飞跃过的是战场，而我刚才还以为是在打雷。那道闪电其实是炮弹的弹壳爆裂开了，几乎把世界都撕成碎片。

　　就在这个时候，气球上那个破洞着火了，整个气球开始熔化。我死死抓着篮筐的边缘，握紧了我的手指头。

我在考虑该什么时候往下跳时，一眼瞥见了一汪绿色的水。我已经来不及多想了，气球迅速腾起了熊熊的火焰，我必须马上行动，抓住逃生的机会。

我像一块惊声尖叫的石头一样跳了下来，双脚朝下掉进了一个满是浮渣的小池塘里。

当你从一百英尺或者更高的地方掉下来，空中又燃烧着大火的话，就算只是一个小池塘也远比坚硬的陆地要好得多。起码我没有摔死。麻烦的是我不知道怎么爬上岸，我的手里全是稀泥，就像刚刚从地底下挖了土上来，我的腿则被睡莲的根牢牢缠住，把我使劲往下拽。

我努力地在温暖但浑浊的水里呼吸——既然青蛙可以，我为什么不可以呢——这时候有什么东西抓住了我的头发，把我拖出了水面。

我看不清楚，因为我咳嗽得太厉害了。过了一会儿，等我把水全部咳出来，我看清楚了——救我的人是个精瘦的小个子男人，穿着盟军的制服。他的门牙没了，所以当他不停地摇晃我的时候，他的舌头时不时地伸到外面来。然后他把我交给了另外一群穿着盟军制服的人，这群人刚才正在池塘边饮马。

从他们的穿戴来看，他们是骑兵队的。他们说话的口音有点儿奇怪，有点儿慢又有点儿像唱歌，不过我能听懂他们在说什么。

"这个小家伙是从天上掉下来的，是吗？"

"对。哎呀，他应该是被加农炮给打下来的吧？"

"我们哪儿有加农炮啊？哎哟！他是坐侦察气球过来的，那儿还有气球的残骸呢，就在那边那些树上，还烧着呢。"

"是真的吗？"

"真的，哎哟！"

"肯定是北方佬的间谍，来刺探我们的位置的。"

"哎哟，他还只是一个孩子呢！"

另外一个更有权威的声音中断了他们的争论。"发现了什么情况？汇报！"

一双双粗糙的大手把我递到了一个穿着漂亮制服、骑在大马上的男人面前，他双手交叉放在马鞍上，令人感觉他就是生活在马鞍上的，而且他喜欢待在那上面。他披着一件优雅的斗篷，头上的帽子样式潇洒，还用一根长长的羽毛作为装饰。他的腰上别着一把漂亮的军刀。

"报告吉布将军，有个北方小孩从气球里掉下来了！"

这位穿着时髦的年轻将军从马背上俯下身来打量我。他扯着自己又浓又密的胡子，慢条斯理地说："嗯，好像是个孩子。"他的眼睛里寒光一闪，接着又说："不过也有可能是侏儒间谍，把自己打扮成小孩而已。我才不会被耍小聪明、假装侏儒间谍的那些北方佬糊弄呢。"

"是！长官！"

那些士兵都在笑，好像都知道他们的将军爱开玩笑。

"你叫什么名字，侏儒？"将军命令我回答，"我还要赶路，没有时间也没有精力听任何蠢话。告诉我你的名字！"

"荷、荷、荷马·菲戈。我不是侏儒！"

"果然是个北方佬，把他关到牛棚里去！"

后来我才知道原来牛棚是他们关押犯人的地方，所谓的"棚"其实就是在一个废弃的谷仓里弄出了一个隔间。这个谷仓是被盟军临时征用的——"征用"其实就是"抢"，军队需要物资的时候就"征用"。

一个名叫乔纳森·格里斯德的年轻小伙子给我说明了这里的情况。他说他是钱伯斯堡一家名叫《峡谷精神》报的记者。

"我本来应该是待在办公室里打字的，"他说，"可是我们老家那个漂亮的小城被入侵的叛军给占领了。他们征用了所有的粮食，还有闲置的马鞍、马蹄铁，还有钉马蹄铁的钉子。我感觉他们还要征用报社，还有我。不过这是一个冒险的好机会，可以看打仗！"

乔纳森·格里斯德先生长着灰褐色的胡子，细细的脖子上挂着一副近视眼镜，说起话来滔滔不绝。

他说："我是从一个叫葛底斯堡的小地方骑马出来的，

原本希望能够找到联军，但却被斯图亚特的人给抓住了。斯图亚特一点儿都不喜欢北方的记者。我估计你也是被他的人给抓到这儿来的。"

"你说的是那个帽子上有羽毛的人吗？"

"那是吉布·斯图亚特本人！"记者的声音听起来非常带劲，"他们说他要绕着联军部队侦察一圈，然后在主战场开战之前回去给罗伯特·E.李将军报告情报。"

"他说我是侏儒！"我还是有些气愤，抱怨道，"他说我是侏儒，而且还是个间谍！"

记者先生哈哈笑起来。"你知道吗？他们把我的笔记本给没收了，但是我一定要把这个记下来。一个侏儒间谍，这个可比那些女扮男装来参军或者忠犬救主的故事有意思多了。我知道你不是侏儒，先生，但是，如果按他们所说，你是乘坐侦察气球过来的，那么你应该也是间谍一类的吧？不过你还太小，不会被判绞刑的。你真走运。"

在监狱隔间的门外，盟军士兵随意干着自己的事情。有的在抽烟，有的在抱怨军需口粮不够，不过我能感觉到他们在认真偷听我们说话。于是我决定要告诉记者先生我跟随弗里波特教授旅行的完整故事，还告诉他弗里波特教授居然真的是个叛徒，他已经被联军给抓起来了，而我又是怎么偷了气球逃出来的。

"他们说他的真名叫克鲁克特，雷吉纳德·罗伯逊·克鲁克特。"我用这句话结束了我的故事，"他还有个弟弟，叫利维，他们把他打得很惨。"

"你是说克鲁克特？"记者惊叫起来，"这个名字在南方很有名啊。那些做药品展览的人跟在阿拉莫战死的大卫·克鲁克特有什么关系没有？"

"肯定有关系。"我更加热情地说，"事实上我觉得他就是大卫的后人，有一次我看见他徒手杀死了一头美洲狮，他肯定是克鲁克特家的血脉。"

"一头美洲狮！我的天哪！你是说，徒手？"

"当然了，那是一头老狮子，牙齿差不多都掉光了，是从马戏团逃出来的。"

"你是克鲁克特先生——也就是弗里波特教授雇用的？"

"可以这么说。"我大方地说，"我是表演时候的明星呢。"

"明星？你表演什么？"

"我表演的是令人大开眼界的——呃，令人大开眼界的狼孩，就是被狼养大的孩子之类的。"

记者兴奋地点着头，好像很想把这些都记下来，就是没有纸和笔。盟军的士兵靠得更近了一些，一字不漏地听到了我说的话，就和我预料的一样。

"当然我不是真的被狼养大的，"我揭开谜底，"我是菲戈家的孩子。你可能听说过菲戈家族吧？我们是波士顿北部最富裕的家族。菲戈家族拥有波士顿的大多数林场，一条铁路，还有矿产的股权，一个帆船队。另外那些什么农田啊，工厂啊就太多了，懒得说了。哦，对了，我们还有奴隶呢。"我说着瞟了一眼士兵，"有好几十个。也许是几百个吧，要费劲数才能数清楚。我们菲戈家族是支持奴隶制度的。我父亲，他在当州长的时候，曾经颁布了一条法令，规定人人都应该有奴隶。拥有奴隶才能让美国更加伟大，这个大家都知道的。大家都明白，只有那个愚蠢的林肯不明白。我父亲说，要是林肯胆敢废除奴隶制的话，他就要像华盛顿先生砍倒樱桃树一样把老林肯给砍了。"

"他真的会吗？"记者看起来吓坏了。

"他当然会了！让我们放弃奴隶？正是因为奴隶我们才那么有钱的！奴隶让我们生活幸福。奴隶给我们做烤饼，做奶油，煮果汁。我父亲曾经给我安排了一个奴隶，专门跟在我屁股后面擦我的脚印，这样我就可以假装消失了。你说我们得有多少奴隶我父亲才会安排一个专门给我擦脚印啊。"

"我明白了。"记者有点怀疑地说。

"关键是，我们菲戈家族虽然是从缅因州来的，但是我们的心是和南方各州连在一起的。是的，先生。我一看见奴隶就想据为己有！事实上，我确实把我看见过的奴隶都据为己有了！"

"你是说，有好几百个，在缅因州？你们那个有钱的家庭？"

"不是有钱——是巨富！巨富比较恰当。如果你特别有钱的话，就能有更多奴隶。"

盟军的士兵你看看我我看看你，不由得点头。有一个士兵离开了，我猜他一定是去给长官汇报，他们把一个南方朋友错误地关在了监狱里。

就在这时，陡然响起的惨叫破坏了我的计划。那可怕的惨叫声让我的脊背发冷，膝盖都颤了起来，也让士兵们把坐着气球飘过来的我所讲的精彩故事彻底给忘了。

"那是什么声音？"我问记者，他的脸也吓白了。

"我想我知道那是什么声音。"他说着凑到隔间角落的那个小窗上往外看了一眼，然后他退回来，在裤腿上擦了一下汗津津的手说："是伤兵。一定是战斗打响了，他们正在把伤兵送到谷仓来。"

这时，谷仓的门被猛地推开，惨叫声也随之涌了进来。

★ 31 ★
糟糕的七月第一天

一车一车的伤员送了过来，呻吟的伤兵被装在平板马车或人力车里拉进来。大多数伤兵只是在车轮碾过坑洼地带而颠簸的时候才叫唤一声，有的伤兵已经不再喊叫，马车停下来的时候他们被挪下来放到一旁，脸被盖上了一块布。

还活着的那些士兵被人用担架抬进谷仓等着接受治疗。一共有几十名伤员，有的人在哭喊着母亲，有的人在念叨妻子和孩子。人数从几十个迅速增加到上百个，他们被安置在谷仓里，或者是谷仓外的屋檐下。

"葛底斯堡战役打响了。"记者很肯定地说，"他们说白天的时候联军骑兵停止了进攻，可是现在他们从城里被打了出来。据看守我们的士兵说，有几千联军士兵投降，还有些人被俘虏。叛军以为林肯的军队可以在一两天内就被打败，就像上次在塞勒维尔一样。这样的话罗伯特·E.李将军和他的军队就可以从北边进攻华盛顿，从而取得战争的胜利。"

"是真的吗？"我问，"北方已经打败了？"

"真相？"记者摇着头说，"子弹还在飞的时候很难判断真相是什么，只有在最后清点伤亡人数的时候才知道谁赢谁输了。"

叛军有可能会取得葛底斯堡战役的胜利，但是他们的胜利不可能是没有代价的。大多数伤兵的伤都是致命的，而叛军的医生正忙得团团转，像木匠一样取出子弹再缝上伤口。

世界上唯一比伤兵的惨叫更瘆人的就是锯子锯断骨头的声音了。

"一个好的医生就像一个好的屠夫——他了解他要切的那块肉。他会卷起袖子，要是有麻药的话就给伤员打点麻药，然后把腿截下来，伤口要在几分钟内迅速消毒。"记者给我解释着，"要是时间拖得太久，伤员要么是疼死，要么就是失血过多而死。也有可能两种原因都有。即便是当时救回来，也只有一半的人能熬过白天，另外一半会死于感染。"

他后来又讲了什么我就没听到了，因为我用手捂住了耳朵，不想去听伤兵的惨叫还有可怕的锯子的声音。我面向墙壁蜷缩起来，不想看见那可怕的处理伤兵的情景。在我心里，我一直祈祷着哈罗德千万不要"看见大象"，或者是受伤，或者是更糟的情况。最好就是他投降了或者被俘了。不过我这样想其实挺蠢的——他是那么勇敢的男子汉，他都敢于奋而反抗司昆廷·里奇，又怎么可能向南方人投降呢？我觉得哈罗德可能已经在战场上被提拔了。见鬼，要是我不赶紧找到他的话，说不定他就变成史上最年轻的将军啦！

我坚信，哈罗德无论如何是活着的。我有一个狂热的梦想，那就是一定要赶在他在战场上丧命之前把他找到，然后我们逃回缅因州，好心的布鲁斯特先生会收留我们，我们可以像别的正常人一样有床可睡，一天能吃上三餐，晚上还能喝牛奶吃点心。我们可以坐在火炉边，跟布鲁斯特先生闲聊。要是有需要的话，我们还可以帮助奴隶逃跑。我还要给我的老马鲍勃准备足够的干草，要是它想吃燕麦的话，还要给它准备燕麦。我要像亲爱的妈妈所希望的那样，去学校上学，在那里学习世界是什么样子的。我要学习如何让人们不挨饿，学会如何终结战争，消灭奴隶制，消除恶行和残酷。而哈罗德就帮布鲁斯特先生打点宝石矿。在我的梦里，哈罗德很幸福，很强壮，他会有妻子，她晚上给他补袜子，还会给他生几个孩子。孩子们不会挨饿，也不会挨打或者被像畜生一样关在谷仓里。他们也用不着为了救哥哥而跑到战场上来，不用去看像朽木一样断手断脚或垂死的士兵，也不用听伤兵们哭着祈求要到天堂里去见他们的妈妈。

人们说即便在最惨烈的战斗中还是会有幸存下来的人。求求您，亲爱的上帝，让我哥哥活下来吧，我只求这个。别让他躺在驽马拖着的板车上和别的伤兵叠在一起被拉过来，别让他手断脚断地被夹上夹板，别让他被装在棺材里运回家乡。

求求您，仁慈的主，让他好好地活着，无论他在哪里，告诉他，荷马来了。

中午的时候，事情有了一些变化。运伤兵的板车没有再来，让人不忍心听的哀号声也稀疏了。医生护士们洗干净了手上的血迹，开始吃点儿喝点儿，填填肚子。

那些在战争中幸存下来的马和马驹也被喂了食、饮了水，关进了我和乔纳森·格里斯德先生——就是那位记者——旁边的马厩里。马匹和马驹在马厩里不安地嘶叫，仿佛是要尽力摆脱刚刚那些恐怖的经历。

"今天将被载入史册，"记者一边摆弄着眼镜一边悲叹，"而我却和这些畜生一起被关在谷仓里，我多像是只死耗子，我甚至找不到纸和笔记录下这些伟大的事件。"

"至少你还有可以用来写字的手，没有笔又算什么。"

我提醒他。

"你说得对，"他说，"谢天谢地。"

士兵们议论纷纷，大家都觉得胜利在望，盟军将会扫平联军最后的残余部队，要么就是彻底消灭他们，要么就是俘虏他们。

记者压低了嗓音，说士兵们的议论虽然有可能是真的，可是北方军队已经奋战了两年，南方好像从来就没有完全胜利的迹象。他说南方死伤惨重，而北方则兵源充足，虽有死伤，可是替补的军队很快就可以顶上。

"战争到最后，就是一个数字游戏。不是说谁想赢就能赢，而是谁的人多、物资多，就可以赢。就如你所见，战争其实就是一个吃肉的磨盘。"

午后，有个传令兵赶来，用尽力气大喊起来。

"到前线去！所有能打仗的人都到前线去！联军想逃跑，李将军命令所有还能战斗的人都上前线去追！我们打败他们了！兄弟们！我们终于把他们打得逃跑了！"

谷仓里瞬间爆发出胜利的欢呼，就连刚才最绝望的伤兵都用颤抖的手握着枪，请求能重回战场。

"全员上前线！全员上前线！南方万岁！李将军万岁！"

看守我们的士兵也被激动的气氛感染了，他们背起武器和干粮包从谷仓里跑出去，加入到了战友的行列，我和记者被单独留在了谷仓。

"现在就是我们逃跑的机会，"我小声地说，"我去偷那匹最小的马。"

记者坚定地摇了摇头，泄气地说："我觉得悬，他们肯定会开枪打死我们的。"

"他们会对一个孩子开枪吗？"我问。

他耸了耸肩膀，说："在战争的狂热中，谁说得清楚那些人会干出什么事来呢？不过这些叛军倒是挺正派的，他们只瞄准那些穿蓝色军装的人。"他直勾勾地看着我说："可你为什么要逃跑呢？我还以为你是支持南方的呢，你家里不是有几十个奴隶吗？"

"是几百个！"我对他说，"我都是瞎说的，我支持的人只有一个，他的名字叫哈罗德·菲戈，我一定要找到他，至死方休。"

"想死还是挺容易的。"他警告我说，"你最好待在这儿，低下你的脑袋。"

"我发过誓一定要找到他。"我说，"请记住我的名字，我叫荷马·菲戈，是从缅因州的松树沼泽来的。万一我死了，你要记着我的名字。"

片刻之后，我已经翻过马厩，牵着一匹小马在光天化日之下溜走了。

★32★
有些事情最好遗忘

我相信那天一定是我亲爱的妈妈在保佑我。也许只有相信已经去了天堂的亲人还在保佑活着的我们，才能让我充满希望。无论如何，我还活着，按道理讲，我应该是死了六次都不止了。

第一次是在我蹑手蹑脚到马厩里去把马驹牵出来的时候，一梭子子弹在我耳边突突突地呼啸而过。没有马鞍也没有缰绳让我抓，为了活命，我死死地抓着马鬃，子弹像看不见的利刃从空中划过。

第二次死里逃生是在我逃出来还不到一英里的时候。有一枚炸弹在我身边炸开了，我甚至可以感受到它的热度，闻到空气里的土腥味。我快马加鞭骑着偷来的马驹穿过烟尘，跑过崎岖的战场，跨过一条铁路，身边全是准备进攻的士兵，还有运送大炮的板车。惊慌失措的人们都扭头看着我，马驹撒开蹄子飞奔，在战火中逃命。

仿佛小马驹知道我要穿过穿灰色制服的盟军防线，投奔到穿蓝色制服的联军那边去；也有可能它只是吓坏了，凭直觉朝着最吓人的地方径直跑过去了。

时不时地，炸弹就在地上炸开了花，摧毁了树木，炸死了士兵，所到之处片甲不留。我拼命抓着小马，感觉像是在做噩梦，在那些噩梦里，哈罗德都死了好几百次了，不过眼前的场景跟我以前噩梦里的战争不一样。在噩梦里，战争的声音不会像这样比一千个炸雷还响，也不会像一千次闪电一样要刺瞎人的眼睛。在噩梦里，战场上的气味没有这么难闻。在我的噩梦里，我从来没有像现在这样听到受伤的马的哀号，那声音甚至比伤兵的呻吟更让人难受，因为动物们甚至不知道到底发生了什么，也不知道为什么人们要射杀它们。

我身边不断有人和马倒下，而我依然骑在马背上。我骑着马一直跑，一直跑，一直跑，光脚夹着马肚子，随时都担心会挨枪子儿。

就和小马一样，恐惧驱使着我不断前进，我害怕得都有些愤怒了。我在枪林弹雨中拼命跑，害怕停下来，因为停下来就有可能被炸死，停下来就一定会死。

在发疯般穿越战场的时候，我见证了许多事情：

遍地打滚的炸弹就像在池塘中跳跃的石头。

骑兵开枪了结了自己受伤的战马，然后在他再次将子弹上膛之前，他也命归西天。

人们如狗一般匍匐在地，想躲过要命的子弹。

杀人的子弹如雨点般在千疮百孔的地面上作孽。

树木像圣诞蜡烛一样燃烧。

口干舌燥的士兵在喝衣袖上的汗水解渴。

士兵的遗体跪在地上，双手合十仿佛在祈祷。

太多可怕的事情，我不忍一件一件写下来，害怕连纸都会燃烧起来。

这些事情最好被遗忘。

……

后来有人跟我说，我从叛军占领的农舍跑到联军在卡普山的前线，起码跑了有五英里。可是我自己感觉那距离比永远还要远。有那么一阵，什么炮弹爆炸的声音，嗡嗡嗡如蜜蜂吵架一样的子弹的声音，还有人和马的哀号声，我通通都听不见了，仿佛我的耳朵用棉花团给堵上了，阻断了一切战争的声响。我唯一能听到的声音就是自己的心跳还有小马的心跳，那时候我们正穿梭在死人堆里，越过那些尸体和垂死的人，我们一刻也不曾停下。

我和小马仿佛是独立在战争之外的，我们身处战场可是又与战场分离。我们就那么跑啊跑啊，直到有一刻烟尘突然之间消失了，我们的眼前出现了一个小山坡，一排一排的大炮将黑漆漆的炮筒对准了我，炮筒口冒着白烟。我朝着那些炮筒狂吼，为我自己吼，也为我哥哥吼，可惜我完全听不见自己的声音。

小马高高地抬起了前蹄，我失云重心，狠狠地摔到了满是石块的地上。我也说不清楚我是真的看见星星了还是又有炸弹爆炸了，反正有一双粗糙的大手抓住了我，把我推进了炮口下面的战壕里。

穿着蓝色制服、满脸胡子的士兵冲我大喊，可是我实在听不清楚他到底在喊什么。最后有人给我喝了水，然后用凉凉的浸了水的布捂住我的耳朵，慢慢地，我的听力终于恢复了。

"你是谁，孩子？你疯了吗？你手无寸铁就一个人穿越战场？你真的是疯了！我们有匹五个最好的狙击手都想干掉你，真不知道他们是怎么失手的！"

"你们是从缅因州来的吗？"我猛喝了一口水后问道。

"佛蒙特州，"给我水的那个人说，"我是从佛蒙特州的波尔特尼来的。我没有去过缅因州，除了来这儿，我没去过别的地方。"

我尝试着他们解释我哥哥的事情，我跟他说我哥哥有可能跟从缅因州来的新兵在一起，可是那个佛蒙特人没有耐心听我的故事。

"药品展销？像人的猪娃？盟军的间谍？坐热气球？你这不是胡说八道是什么！你刚才摔那跤是摔坏脑袋了吧？"

"哈罗德·菲戈，"我坚持不懈地说，"他还没满十八岁！"

佛蒙特人耸了下肩膀，说："我们还有鼓手是不满十四岁的小孩呢，我们的鼓手还没你大呢！"

"他被迫宣誓参军……"我还试图解释，可是炮火就在我们的头顶上炸开了，我的耳朵又暂时听不见了。

趁着大炮重新装炮弹的时候，佛蒙特人拖着我翻过了小山坡，躲到了火线之外，然后把我交到了一位中士手里。

"这个孩子是从战场上死里逃生出来的！"他冲战友大声说，"可是他有点儿疯了，我该怎么办？"

"把他送到后方去！"中士一边说一边用他的剑指了下方向，"所有的平民都送到后方去！马上执行，下士！强尼·立博的队伍马上又要进攻了，准得跟圣诞节一样，他们肯定会在日落之前发起最后一次强攻！"

山上和山下的士兵估计得有好几千人，看他们的样子，多半都是已经打了一整天仗了。伤员们被抬上马车，准备送到联军的医院那里去。

在微微隆起的山岭上，大炮还在轰隆隆地作响，地上到处是火苗，营地的炉火上煮着咖啡，大家看起来都很疲倦、很安静，可是又都充满了斗志。

"他们已经见识过了最残酷的战争，下定决心要继续战斗，"佛蒙特人骄傲地说，"我们会坚守阵地到底！"

他倒了一杯热热的黑咖啡，让我喝下去。"希望这个能让你恢复正常。这杯咖啡应该够劲儿了，我可不想给一个精神失常的孩子当保姆，我必须要在下次强攻之前回到战友们身边去，要不然他们会说我是逃兵的。"

"谢谢你，"我说，"我现在感觉好多了，都是那些噪音让我脑袋有点儿糊涂了。"

"噪音确实会。"他对此表示同意，然后他指着马车说："你最好是跟着伤员走，这样你就可以远离战场，到一个相对安全的地方去。我也不知道你的那匹小马现在情况怎么样，不过我估计它应该还能跑。"

我答应他会跟着运伤员的马车到后方去，待在安全的地方，但是他刚一离开我马上就跑去找另外一群士兵，问他们是不是从缅因州来的。可惜都不是，他们全是从宾夕法尼亚州来的志愿兵，还有一些是从纽约来的。他们对于从缅因州来的新兵及其驻扎地一无所知。

在他们详细询问我为什么没有穿制服却在战场上来回晃的时候，我已经去下一支部队寻找我的哥哥了。其实，他们都很忙，没有太多时间来注意我；也可能是因为他们太累了，根本就懒得管我。

天色渐渐暗了下来，我终于找到了几个从缅因州来的人，我连忙询问他们同行的人里有没有姓菲戈的。

"肥果？你说肥果啊，小孩？"有一个士兵嘲弄地对我说，他呵呵地傻笑，嘴巴咧得老大，连耷拉着的胡子都撅了起来，"你还想不想找苹果和桃啊？梨怎么样？我们这儿有个叫查尔斯·梨的下士，是从布伦瑞克来的。"

"我找菲戈。"我坚定地说，"哈罗德·菲戈，从松树沼泽来。"

"我从来没听说过什么松树沼泽，也从来没听说过哈罗德·菲戈。你懂不懂什么是军，什么是团？"

"我只知道他是我哥哥，他在军队里。"

"孩子，你是怎么到这儿来找你哥哥的？"

我实在是懒得再重复一次整个故事，不管是夸张还是不夸张我都不想再讲了。于是我简单地说："我坐火车来的。"

"从你家到葛底斯堡，一路全是火车？"

"最后一段路是骑马。"我说。

那个士兵在暮光中仔细打量了我一会儿，说："孩子，你看起来有点儿饿了，你要不要和我们待在一起？虽然我们这儿没有姓菲戈的，可是我们都是从缅因州来的。"

"我必须要找到我哥哥。"我说。

"天已经黑了，"他警告我说，"要是你找错了方向，哨兵有可能会开枪杀了你。要是你被杀死了，你就不能找你哥哥了，对吧？"

"对，先生。"

"那么，你就先和我们待一会儿吧。"他建议，"我们的厨师正在那边那个大铁锅里煮汤，是好吃的土豆汤，我们都假装那是海鲜杂烩汤。你可以明天再去找哥哥，天一亮你就去。要是他们的队伍在行军距离内的话，他们应该就会沿着我们的方向前进。所有的军队都在向葛底斯堡集结。要么走这条路，要么走那条路，总之他会来参战的。明天，孩子，明天你就能找到他了。"

我闻到了香喷喷的土豆汤的味道，情不自禁走了过去，盯着土豆汤看。我在火炉边坐下，用勺子从铁罐子里舀出一勺汤来尝——吃起来和闻起来一样香——然后另外一个士兵分了我一块硬面饼，还教我怎么用饼去蘸着汤汁吃，我把那块饼吃了。吃饱喝足，我决定立刻动身继续找，天黑不黑的，管不了那么多了。就在这个时候，士兵们开始唱歌了。在这个时候开溜好像有点儿不礼貌，尤其是当耳边响起充满了乡音的歌声：

　　永远的联军！冲吧，战士们，往前冲！
　　献身杀敌，化为天上的繁星！

我们在军旗下集合，再次集合，

为战斗尽情呼喊，呼唤自由！

过了一会儿，我的眼皮开始打架了。这时，一个好听的男高音唱起了《就在开战前，妈妈》。这是一首忧伤的歌曲，唱的是儿子劝慰妈妈不要为自己担心。歌声让我进入了梦乡，在梦里我见到了士兵的妈妈们、兄弟们和孩子们。

★33★

M 就是叛徒

天亮之前，有个瘦高的士兵发现我在营火边睡着了，他用力摇醒我。

"真的是你吗？"他一边问一边使劲晃着我的肩膀，"你真的是荷马·菲戈吗？他们说有个姓菲戈的孩子。"

一开始，我没有认出他来，他的变化实在是太大了。

"是我啊，我是韦伯·B.维拉，"他说，"我以前当过牧师，我还代表布鲁斯特先生当过你的监护人啊。我先前被一个叫凯特·尼布里的漂亮姑娘抢了钱，还被她抛弃了，和她一起的还有她那个所谓的哥哥。现在我在缅因州第五师服役来赎我的罪。在我上战场被杀死之前，我来祈求你的原谅了。"

他脱下军帽，眼睛盯着地上，好像羞于看我的眼睛。

"被抢了钱、被抛弃的人是我。"我提醒他，然后我坐了起来。

他痛苦地点着头说："你警告过我的，可我是个蠢货。我现在还是傻，一点儿都不假。布鲁斯特先生信任我才让我照顾你，可是我没有办到。"

"你的婚姻持续了多久？"

他耸了耸肩，说："几个小时吧，不过足够让我明白自己被骗了。弗兰克和凯特在我们下船以后立刻就不见了。我到公园大道去找过他们，我去了尼布里家的豪宅，跟个傻瓜一样。我还期望我们只是不小心走散了，不过人家告诉我的事情足以让我清醒了。我不知道他们的真名到底是什么，但绝对不可能是尼布里。"

"你是怎么找到我的？"我接着问，其实我还认为我没睡醒，有点儿晕乎乎的。

"我听别人说有个叫菲戈的孩子在找哥哥。坦率地讲，我思想斗争了大半夜到底应不应该来找你。"

"我还是没有找到哈罗德。"

维拉下士不安地挪动了一下，然后清了清喉咙，说："这就是另外一件我必须要告诉你的事情。我在纽约参军以后，就被分配到了这个部队。我短暂地和一个名叫哈罗德·菲戈的新兵见了一面。我们在出发去另一个驻地的时候坐的是同一列火车。他看起来和你很像，不过比你高大一些，当然——我一眼就认出了他。"

"你碰到我哥哥啦？他在哪里？你告诉他我来找他了吗？"

维拉下士又痛苦地摇了摇头，说："那个……我没有，我不敢在他面前说出我和你的关系，主要是因为羞愧和绝望。"

"我才不关心这个！"我跳着脚喊着，"哈罗德在哪儿？"

维拉下士终于正眼看了看我的眼睛："他在张伯伦上校的部队里，缅因州第二十团。他们从汉诺威出来，到这里来集结，再过几个小时就到了。"

我过了好一会儿才弄明白他的话。"你的意思是说昨天开战的时候，哈罗德还不在葛底斯堡？他还没有参战？他不会受伤也不会牺牲？"

维拉下士戴上军帽，整理端正，然后背上枪，瘦瘦的肩膀往后一挺，好像是做了一个立正的姿势。他说："我也不知道你的哥哥到底是什么情况，年轻的先生。不过他所在的部队还没有参战，他们今天就会参战。今天我们所有的人都会去打仗，强尼·立博的部队也会全上，死伤人数应该会有好几千。"

"你害怕吗？"我问。

他迟疑了一下，说："跟你谈了以后，就没有以前那么怕了，不过还是有点儿害怕的。"

我拉着维拉下士的手握了一下，说："我已经见识过大象了，你不用害怕。"

这不是真话，可是我欠他的，希望这个谎话不算是坏事。

多亏了维拉下士，当缅因州第二十步兵师刚刚行军到葛底斯堡时，我就已经在汉诺威路那里等着他们了。

他们走得很轻快，队伍里有三百五十名士兵，他们还有一面鼓和一支横笛。在鼓和横笛的演奏声中，他们和着节拍前进，扬起了地上的尘土。他们已经在路上走了好几个小时，虽然很累，但是看上去充满了决心。有的士兵甚至欢呼起来，看样子是迫不及待想要加入战斗。

"哈罗德！"我大声喊着，"哈罗德·菲戈！"

有个长得很吓人的中士骄傲地高举着军旗。他本来不想看我，可是当士兵们被命令"稍息"的时候，他把旗子插到地上，然后把两条粗胳膊抱在胸前，严厉地看了我一眼，说："你想干吗，小孩？你不知道这是在打仗吗？回去找你妈去！"

"我想见我哥哥哈罗德·菲戈！"我毫不退缩地说，"他刚参军的时候是个下士，不过现在他肯定已经被提拔了。"

中士的表情看起来就像是刚刚生吞了一个臭鸡蛋。他狠狠吐了口唾沫，然后大骂起来："哈罗德·菲戈！我呸！他确实是被提拔了，被提拔到后方去了！"

"他当下士了，还是当上校了？"

"他被捕了，你这个小蠢货！"中士咆哮起来，"他被抓起来了！现在要被押走，就在开战之前！你也得滚！"

哈罗德被捕了？我觉得这个粗鲁的中士一定是在跟我开玩笑。这个玩笑又拙劣，又残忍。我绕到部队的后面，那里有几辆战斗备用的快要散架的马车，还有几匹马，另外一个士兵对我说，如果我要见哈罗德·菲戈下士的话，我必须要贿赂那些看守的士兵。

其中一辆马车被三个全副武装的士兵看守着，里面关了五六个犯人，每个人的蓝色制服胸前都用粉笔写了一个大大的"M"。

"M是叛徒的意思，"有个士兵给我看了一下他手里的粉笔，"这是我的主意。要是他们敢跑的话，我们就朝M开枪！哈哈。"

守卫的笑声是那么残忍，仿佛是觉得自己在开玩笑，他一点儿都不在乎这样说会伤害到别人。

其中一个犯人，那个一只眼睛淤青、看起来面无血色的年轻人就是我的哥哥哈罗德。当我叫他的名字的时候，他捂着脸，哭了起来。

★34★
一座小山

我长这么大，从来就不知道哈罗德也会害怕，也会
觉得羞耻，现在我看他这个样子，感觉就像是倒退着走
在悬崖边上。我觉得整个世界都颠倒了。他在马车里缩
成一团，我紧紧地挨着他坐下来，尽量不去看他淤青的
眼睛，尽量忽略他身上难闻的气味。

"荷马，你来这儿干什么？"他终于说话了。

"我本来在谷仓溜达来着，可是不知道怎么地就到这
儿来了。"我轻轻碰了他一下，接着说："傻瓜，我当然
是来找你的！我来告诉你这个事情根本就是个圈套，你
根本就不该参军。司昆廷把你给卖了，代替了其他本来
该参军的人，他把钱也私吞了。他们把你骗了，这是不
合法的。"

哈罗德耷拉着脑袋。他说话的声音实在是太小了，我得侧着耳朵才能听清楚。"现在一切都无所谓了，荷马。我逃跑了，被抓住了，我会接受军事法庭审判的。"

"到底发生了什么？"我问，"你是为了躲子弹吗？是为了躲大炮吗？是为了躲开那些拿刺刀的敌人吗？"

我哥哥摇了摇头，在太过深重的悲伤中他竟然轻轻地苦笑了一声。他说："是因为我顶撞了我的班长。我发誓，他比司昆廷还要坏。"

"是不是他把你的眼睛打成这样的？"

他点了点头。接着说："一开始我挺喜欢待在军队里的。我喜欢军装，也喜欢打靶训练。一日三餐吃得很好，还可以在帐篷里睡觉。我甚至喜欢行军走路，喜欢听在我们经过时人们的欢呼。但是我真的很厌恶那个中士，他让我做事情的时候从来不说'请'，也不说'对不起'。有一天我给他提了意见，可是他拒绝了，然后我把他打倒在泥地里，就像我以前打司昆廷一样。事情后来变得更糟了，他无所顾忌地把我的生活弄得一团糟。他居然还说我就是个垃圾，根本不适合当兵。"

"所以你就跑了？"

"没跑多远，你也看见了。"

"会有什么后果？"

"无所谓了，我的弟弟。我已丢了体面，你必须离开这里，就当从来都不认识我。”

“别傻了，那个中士把你给打糊涂了吗？”

“我是认真的，荷马。你必须离开这儿！不管昨天发生了什么，不管你看见了什么，这些都和以后要发生的事情无关，总有一天，有一方会被打败的。”

“不可能比昨天更糟糕了。”我对他说。

“当然有可能了！联军有九万人，这些人全部都会上战场。叛军的人数也差不多。你没听见远处的炮声吗？已经开战了。”

“这不公平。”我说。

“公平不公平不是重点，问题是我发了誓然后又违背了誓言，我应该受到惩罚。”

“他们会绞死叛徒吗？”

“有时候会，一般不会。他们很有可能会把我送进监狱。”

直到现在，我都一直装作很乐观的样子，假装事情没有那么严重。可是一想到哈罗德要这么不体面地被送进监狱，我就难过得说不出话了。也许他们不会让我陪他一起去监狱，我只能去探监，然后偷偷帮助他越狱。然后我们就逃跑，跑得越远越好。我们要尽量朝西边跑，那边是自由的，没有人会关心战争中发生了什么。我们可以种很多玉米，把自己喂成大胖子，我们还可以给自己盖一座漂亮的房子，房子里有火炉、窗子，还有一间舒适的厕所。我们要去山里的溪水中抓鱼，要抓像狗一样大的鳟鱼。空闲的时候，我们就坐在走廊边的大石头上，一起回忆从前那些傻乎乎的年月，回忆一下那个坏蛋中士是怎么打青了他的眼睛，我们又是怎么胜利大逃亡的。我们或许是骑马跑的，也有可能要坐热气球，我还没想好选哪一个。

"不会有事的，"我对哈罗德说，"我们亲爱的妈妈总是说事情会好起来的。"

哈罗德忧伤地看了我一眼，说："妈妈去世的时候你才不过四岁，你怎么知道她说过什么，她的信念是什么呢？"

"因为你告诉过我啊。"

他点了点头，好像已经知道了我要说什么，他说："对不起，荷马，我让你失望了。"

"别说傻话。司昆廷把你卖到了军队，这不是你的错。"

"你不明白，"他的声音里充满了忧伤，"这些都是我造成的。我知道那很丢人，我应该在参军之前就把这些话说给你听。我不想再干农活，我想要终结我们艰难的生活，我想要呼吸没有被司昆廷·里奇污染的空气。"

"哦。"我说。

"还有更糟糕的。"他迟疑了一下，深深吸了一口气，然后接着说："就那一次，我有了那种想法，我不想再照顾你。我不想又当哥哥，又当爹妈，我想解脱，荷马。我看见了机会，然后我抓住了那个机会。"

可怜的哈罗德看起来是那么伤心，我心疼得受不了。其实，他刚才说的那些事情对我来说根本就不算太意外。我其实一直都知道，我知道他想从司昆廷那里逃走，我知道他不想一直照顾他的小弟弟。

于是我说："没关系的，你以后不用再照顾我了，换我来照顾你。"

哈罗德认真端详了我一会儿，摇了摇头，微微地笑了一下。他问："你到底是怎么到这儿来的？你还这么小，以前也没离开过农场。"

我正准备给他好好讲讲我的真实冒险，讲讲一路上的喜怒哀乐，可就在这时候，一个军官开始发布命令了。

"缅因州二十团全体都有！我们现在要向左翼转移，集合！集合！"

士兵把我从关押犯人的马车里踢了出来，不过也没把我撵出去多远，顶多就是几码的距离，所以我很容易就能在部队集合出发之后一直跟在队伍的最后面。

数以千计的士兵集结在山脚下待命。士兵们分别来自缅因州、纽约州、宾夕法尼亚州、佛蒙特州、马萨诸塞州、康涅狄格州、密歇根州和伊利诺伊州，几乎是北方的所有州。山那边枪炮的声音时大时小，一直没有间断过，士兵们看起来都跃跃欲试，想要大干一场的样。

他们对彼此说，今天就是决定胜负的一天，今天我们要守住阵地，今天我们要扭转战局打败罗伯特·E.李，今天我们将赢得这场战争。

我真想卷起袖子对他们说不要太武断，子弹可比人跑得快。可是我没有说话，我一直盯着关犯人的马车，心里想着怎么才能把哈罗德从里面给弄出来。

不一会儿，我就看见伤兵被从山上抬了下来，然后我觉得其实当个罪犯、当个叛徒也不是什么坏事，起码不会有人朝他们开枪。然而事实却远比我想的糟糕。

麻烦事自己就找上门来了，麻烦的制造者——约书亚·劳伦斯·张伯伦上校，年轻的缅因州二十团的指挥官，身上配着枪和剑，脸上的胡子又浓又密。他的双眼闪闪发光，好像他已去过了天堂，还看见了山对面敌人的情况——他骑着一匹灰色的大马过来了。

"二十团的士兵们，都看着我！看见前面那座小山了吗？"他抽出剑指着那座山，"我们必须守住那座山，哪怕是用生命做代价！这座山是联军的右翼屏障，决不能落入叛军的手里！士兵们，所有人跑步前进！上山，占据有利位置！跟着我们的战旗！现在！马上！"

他本来已经打算走了，可是想了想又停了下来，走到关犯人的马车前，向关在里面的人亮了亮他手里的剑，然后把剑在靴子上弹了几下。他说："先生们！我会为那些愿意参战的人说好话！如果大家听我命令，我会尽我所能取消对你们的处分！"

让我惊慌失措的是，所有的犯人整齐划一地站了起来，包括我的哥哥哈罗德·菲戈，大家都请求参战。

守卫把犯人们放了出来，他们立刻擦去了军装上那个耻辱的字母"M"。犯人和守卫们一起，端着枪，抱着炸药包，跟随着缅因州第二十团的旗帜，勇敢地朝小山上冲去。

周围顿时一片混乱，可我还是奋力冲到了正在拿枪的哈罗德身边。

"现在就是我们的大好机会！"我说，"没有人会拦着我们！我们可以逃跑了！在他们发现之前，我们就已经逃出好几英里了！"

哈罗德盯着我看，好像我是个长了两个脑袋的怪物一样。"我发过誓。"他说。

"可是誓言挡不住子弹！"当他极力想挣脱我的时候，我大声地说，"誓言也不会让炸弹不爆炸！誓言不能保护你不牺牲，你不能把我一个人留在这世上啊！"

他把我按到了地上。

"就待在这儿！"他命令我，"你爬到马车下面去，保护好自己的安全。仗打完了我就来找你，荷马，仗打完了，我就来。"

然后他朝着山顶跑去，一手拿着枪，一手抱着炸药包。

"哈罗德！站住！"

他没有站住，他一直往前冲，冲进了隆隆的炮火中。

我还有别的选择吗？我这一路找来总不能一无所获吧。于是我紧紧跟着我哥哥，也朝山上跑去，我加入了战斗，加入了葛底斯堡战役。

★ 35 ★
即使他们死去

小山顶上零星散落着岩石、鹅卵石，还有几棵小树。缅因州二十团的士兵们沿着山路爬上来，迅速在岩石中找到了掩体。他们可以躲在岩石后面，借助岩石的掩护向下面的敌人开枪。

没有等多久，大概就在他们隐蔽好之后十分钟，一整支来自亚拉巴马州的部队就挥舞着旗帜，从山下开始了进攻。

突然之间，穿着灰色制服的士兵蜂拥而至，岩石堆里和开阔地里到处都是他们的身影。他们不停地往上冲，嘴里还发出可怕的喊声，那是叛军的口号声："杀！杀！"叛军们的嚎叫声既像是猫头鹰的嘶喊，又像是痛苦的哀鸣，让听到的人不由得起了一层鸡皮疙瘩。

还没等我找到哈罗德、也还没找到藏身之处时，子弹就开始飞了起来。子弹打到岩石上迸溅出碎石尘土，射到无法藏身的小树上时也会发出清脆的声响。

　　不管我躲到什么地方，都会有更多的子弹追过来。子弹的声音听起来就像大黄蜂的鸣叫声，嗡嗡嗡——嗡嗡嗡——

　　最后关头，哈罗德从一块大石头后面一跃而出，一把将我拖到了安全的地方。"你在干什么,你这个小傻瓜？你想被杀死吗？"他喘着粗气质问我。

　　"我想回家。"

　　哈罗德说了句什么，然后从岩石缝隙中向敌人瞄准开火。他把皮质的弹夹摊在面前,把打过了的弹壳取出来，紧接着用牙齿扯掉新子弹外的纸筒，迅速将子弹压进弹道中，然后拉动保险栓将子弹上膛，再准备扣动扳机——动作快得看都看不过来。

　　他小心地瞄准，开火，然后再重复刚才的动作。

　　他的弹夹里一共有四十发子弹，也就是说，再打三十七枪他的弹药就用完了。如果他保持目前的速度的话，大概还能坚持二十分钟。

　　"你干什么去？"他冲我大喊。

　　"去多弄点儿子弹！"

　　我去找子弹了。我沿着小山背后滚了下去，滚到了火线以外。我跟着其他人找到了运军火的马车，扛起一箱子弹就朝哈罗德战斗的地方跑去。哈罗德还在那里瞄准，开火，他的动作很稳健，差不多每数二十下开一枪。

看见哈罗德的补给足够了，我就开始给别的士兵搬子弹。他们都埋伏在小山的南面，被对面敌人的火力压制着。

亚拉巴马州的叛军呼号着口号发动了一次又一次的进攻，但是在最后关头都被我们缅因州第二十团的将士们击退了。战士们牢牢守着阵地，他们紧紧地贴在岩石丛中，就像是长在岩石上一般一点儿都不退缩。

战斗已经进行了一个多小时，有人受伤了，有人在惨叫，有人牺牲了，但是战斗依然在继续。

张伯伦上校的身影出现在战场的每一个角落。他顺着山脊巡视，山下叛军的狙击手就在他的正对面。他给战士们排兵布阵，教他们如何击退亚拉巴马人下一次疯狂的进攻。

子弹就在他的身边飞过，近得擦掉了他的头发，可是他一点儿都没有退缩。

后来我才听说，其实他是一位大学教授，除了从书里看来的东西之外，他对战争一无所知，但是就在那场决定胜负的山头战役中，他对战斗的走势简直了如指掌，恰似拿破仑再世。他指挥士兵们布阵，告诉他们什么时候把战线拉长一点，在合适的时机指挥担架手们从战火中把伤员送到安全的地方。

那些牺牲了的战士只能暂时留在他们牺牲的地方，等战斗结束了再去给他们收遗体——如果战斗会结束的话。

即便是他们已经牺牲了，子弹依然射向他们。

看见我一直在运送子弹，指挥战斗的张伯伦上校停下来问我："我说，孩子！你知道你现在所冒的风险吗？"

"清楚，长官！"

"好样的！继续！"他命令道，"注意隐蔽！"

就在这时，他注意到一个军官颈部中弹牺牲了，他必须要找个人代替这个军官的位置。

在最开始的那几分钟，叛军几乎攻上了山顶，双方在山顶进行了白刃战。有些士兵甚至是徒手在打斗，他们在岩石间翻滚，都想置对方于死地。不过大多数的进攻都在离山顶还有三十码左右的地方被击退。亚拉巴马人在火力掩护之下往前进，缅因人为了消灭他们不得不站起来向他们射击，同时也把自己暴露在敌人的火力之下。绝大多数情况下我们缅因士兵都会有一两个受伤或是牺牲。

有的时候双方都有伤亡。

所有这一切，都是为了抢占这个小山头。这个山头刚好处于战线的尽头，盟军希望拿下这个山头然后从两翼包抄联军。这座小山被灰白的硝烟笼罩，山坡上到处都是死伤士兵的鲜血。

一梭一梭的子弹射进树丛里，好像是一把把小小的、看不见形状的斧子砍过去。

就像上校和哈罗德嘱咐过我的那样，我一直弯着身子，然后找到了一块大石头躲在后面。

所有的弹药都已经从马车上搬下来发给士兵们了。最开始的时候，他们每分钟打两到三发子弹，可是现在枪声密集得就跟在平底锅上炒爆米花一样，弹药支持不了多久了。

有那么一阵，四周稍微清静了一会儿，只是偶尔有几声枪响，我听见哈罗德在喊补充弹药。

"全部用完了！"有个军官冲他喊，"去找找周围有没有子弹夹！"

他们已经在从牺牲的战友身上取子弹夹用了，那些牺牲了的士兵不会拒绝。

我躲在大石头的后面，蜷缩成一团，心里默默祈祷着子弹赶紧打完，这样我们就可以撤回去了。

我觉得事情是这样的：我并不介意这个山头被叛军占领。宾夕法尼亚的小山多的是，要是他们那么想要这座山的话，那就给他们好了。

在不远处，枪炮腾起的硝烟已经让视线变得模糊了，上校在那儿和军官们商量着什么。从他们的表情来看，事情非常不妙。

太棒了！我想他们一定是要撤退了！没有子弹军队就不能再战斗了，难道不是吗？我们现在寡不敌众、弹尽粮绝，没有了战斗力，唯一正确的选择就是赶紧撤退。

紧接着，在硝烟中传来了上校清晰的命令声："上刺刀！"他大喊着。

阵地上的所有士兵立刻把刺刀装到他们空空如也的枪膛上，准备迎接接下来的战斗。

我的哥哥哈罗德趴在我前面的岩石后面，他冲我摆着头，说："荷马，到后面去！"他大吼着，声音压过了所有人："回家去！活着回去！"

紧接着，张伯伦上校的声音传来，他的声音甚至比炮弹的声音还要响亮。

"冲啊！"他下达了命令，同时举起了手中的指挥刀。

哈罗德一跃而起，跟随上校冲下了山，冲进了敌人的枪炮中。

直到今天我也不知道，那天到底是什么力量让我跟随我的哥哥冲下了山。肯定不是因为我不了解战争，因为我清楚地知道战争是怎么回事，而且我憎恨战争。也不是因为我勇敢，我害怕得都尖叫起来了。

我只知道我一直跟着哈罗德，大声地祈求他隐蔽起来。当我跑到山脚的时候，我觉得枪炮的热度都能燃起一把火了。

我们和敌人相距不到五十英尺，这把我吓坏了。这用鲜血来丈量的五十英尺仿佛有一百英里那么遥远。我身边的士兵都在往前冲，他们怒目圆睁充满了杀气，牙关紧咬，透着死亡的气息。

我跌跌撞撞地跑过崎岖不平的山路，可是我已经跟不上哈罗德了。他身边的士兵像破布娃娃一样纷纷倒下去，可是他还在继续往前冲。

哈罗德前面就是那个大个子中士，他手里举着军旗，就是他曾经嘲笑哈罗德不是当兵的料。

中士脚步踉跄起来，他用手捂着肚子，手里的旗帜也要倒下了。

哈罗德大步跑过去，扔掉手里没有子弹的枪，一把接过了受伤中士手中的旗帜。

"哈罗德！不要！"

现在所有叛军的眼睛——他们所有的枪——都会瞄准哈罗德。我的哥哥高举着旗帜冲到最前面，他冲进枪林弹雨中，仿佛是冲进了温暖夏日的阵雨中。

"哈罗德，趴下！"我尖叫着，"趴下，不然你会死的！"

飘扬的旗帜上瞬间出现了很多子弹孔，可哈罗德还是没有找地方隐蔽。

我想找块石头去扔哈罗德，让他清醒一下，可是我一伸手摸到的竟是将旗帜交给哈罗德后倒在地上的中士。他侧身躺在地上，因为疼，他紧紧地抵着受伤的肚子。我很想问问他凭什么把我哥哥的眼睛都给打紫了，现在是不是后悔了，可是现在问这些好像不是时候，因为他就快要死了。

我从他的枪套里抽出手枪，瞄准了哈罗德的脚，我想开枪提醒哈罗德注意安全。

然后我扣动了扳机。

子弹打到了地上，哈罗德倒下了。

一开始我还以为他是被叛军的子弹击中了，不过我马上明白过来是怎么回事——我打出去的那发子弹弹起了一块石头，石头飞起来像飞镖一样甩到了他的腿上。

哈罗德倒下的时候还一直努力举着旗帜。

来不及多想，我扔下中士的手枪就冲了过去。我接过了旗帜，哥哥倒在了我的脚边。

按理说我应该扔掉旗帜，趴到地上，躲开那些飞来飞去的子弹，可是也不知道为什么，我没那么做。现在旗帜在我的手里，我觉得我不应该让它在血迹密布的战场上倒下。

这个想法很蠢，蠢得有可能让我丧命，可是当时我就是这个想法。

就在这个时候，最最奇怪的事情发生了。在我的周围，山坡上，所有的叛军纷纷扔掉手里的枪投降了，他们在祈求那些疯狂的端着刺刀的士兵放过他们。拼刺刀的士兵们已经杀红了眼，不开一枪却让敌人瞬间和死神面对面。这些士兵永不放弃，宁死不屈。

哈罗德躺在我脚下，呻吟着要把射进他腿里的石头给弄出来。我很难过他受伤了，可是他还活着，这又是多么令人高兴的事啊。

然后我发现，并不是所有的亚拉巴马人都投降了。我看见有一个人从地上爬了起来，双手举着一把剑。他的眼睛从旗帜瞄到了我身上，好像是在考虑要先砍掉哪一个，是那可恨的北方佬的旗帜呢，还是这个举旗的小孩呢。

他犹豫了一下。

就在这千钧一发之际，约书亚·劳伦斯·张伯伦上校出现了，他稳稳地举起手枪抵在了那个人的脑袋上。

"要么投降，要么死。"他说。

那个人扔掉了手里的剑，跪了下来。

"我来举旗帜，你照顾你哥哥。"上校说。

The Mostly True ADVENTURES of Homer P.Figg

★36★
故事的结局

那一天的战斗以我们的胜利宣告结束。

那天晚上，我整夜陪着哈罗德待在医院的帐篷里，受伤的战士都被抬到了那里。物资补给到位了，锅里煮着饭菜，也有冷餐。大炮被安放到了新的位置上。战士们有的唱、有的哭，大家一起等待黎明的到来。太阳升起来的时候，一切看起来也还不算太糟糕。我们打了几次小规模的战斗，进行了一次还是两次轰炸——感觉好像叛军只是想小小地给我们点颜色看，好让我们记得其实他们没有真的被打败。

然后，下午早些时候，盟军的大炮开始狂轰滥炸，数以千计的炮弹呼啸着飞到联军的阵地，大地都在颤抖，就像是发怒的巨人在疯狂地跺着脚。

医院的帐篷离前线有一英里远，可是照样摇晃很厉害，瓶子里的液体不停地晃动着，地上也扬起了尘土。有一个医生大喊着说感觉像是地震了，不过那绝对不是地震，因为那个震动根本就没有停下来过。

当然，最终它还是停下来了。盟军大概是觉得联军的大炮已经被炸成了碎片，然后他们的步兵开始朝联军的纵深方向进攻。他们派出了差不多一万三千名士兵，所有的士兵排成纵列沿着大概一英里长的开阔地前进。就在那血腥的一英里路上，联军的大炮和几百名狙击手对他们进行了阻击，盟军死伤过半。

在当晚那场让盟军在劫难逃的战斗中，雷吉纳德·罗伯逊·克鲁克特，那位很有绅士风度的间谍——我曾经认识的弗里波特教授——也参加了战斗。他用他衣服上的金扣子买通了关系，从监狱里被放了出来。他一路快马加鞭来参战，然后牺牲在了战场上。他和他那位战死在阿拉莫的著名的家族前辈一样，战斗到了最后一刻。

那天晚上，罗伯特·E.李将军带着他的残部逃回了南方，从那之后再也没能踏足北方的土地。

仗打完之后的几天，大家一直在忙着把牺牲士兵的遗体埋葬在葛底斯堡的田野和草地下，一部分牺牲军官的骨灰被装在骨灰盒里送回家乡。张伯伦上校这时来看望了我们。哈罗德的伤恢复得还不错，上校给缅因州的松树沼泽发了一封电报，而且还收到了回复。

哈罗德的年龄被证实了——十七岁。

上校正式通知他："你还不到入伍年龄，所以你可以离开军队了。"

没有比这更美妙的话语了，虽然哈罗德并不十分开心——因为他想在腿伤好了之后继续战斗。

临走时，上校问我为什么要那么做——为什么要坚守阵地，牢牢握住旗帜。

"你还是个孩子，哪怕是逃跑了也没什么丢人的。"他用那双冰冷的蓝眼睛盯着我说，"是什么让你坚持了下来？"

我绞尽脑汁也没有想出来答案，其实这些年来我也没想明白到底是怎么回事。我明明可以逃跑的，而且也想过要逃跑，可就是有什么说不清的力量让我留了下来。

两年之后，这场漫长又可怕的战争终于走到尽头，再也没有人号召我们去打仗。我和哥哥一直相依为命，在北方各处流浪。我们在农场干过活，在小工厂做过工。我们还到处去找药品展览，希望能看到和弗里波特教授的药品展览一样精彩的表演。

当然，我们没有找到。

最后，杰布迪·布鲁斯特先生找到了流浪的我们，他收留了我们，成了我们的法定监护人，让我们又有了家的感觉。那个时候奴隶们已经彻底得到了自由，布鲁斯特家的宝石矿又重新开张，从泥巴和石头里，宝石重新被淘了出来。

布鲁斯特先生说，我和哈罗德就像是碧玺，我们来自尘土，但是散发着光芒。他非常骄傲能成为我们的亲人，他让我们成为了他的继承人。就是布鲁斯特先生建议我把我的真实冒险写下来的，所以你要是不喜欢这本书的话，千万别怪我，要怪就怪布鲁斯特先生吧。

关于我的哥哥哈罗德，我还有一件事情得说一说，这是发生在葛底斯堡战役之后的事了。最开始他的腿伤看起来恢复得挺好的，接下来的几个星期我们都觉得他的腿可以保住。可是后来有一天伤口突然就感染了，伤腿肿得厉害，又青又紫，几乎要了他的命。没有别的办法，只好给他截了肢。

我哥哥失去了一条腿。

他有时候感觉那条腿还在，好像是那条腿的魂魄还在那儿。每次有这种感觉的时候，他就会微笑着说："你还记得我们小时候吗？你还记得你为了救我差点儿要了我的命吗？你还记得一个十二岁的小孩子，从来没有穿过一双属于自己的鞋子，却牢牢守在阵地上没有动摇吗？别担心，弟弟，别掉眼泪，不是你让我失去这条腿的，是战争。"

我想我们都是这样在过日子，跟往昔岁月中某些东西的魂魄生活在一起，这些东西或许我们曾经拥有过，或许从未曾拥有。我们时常陷入对过去的回忆，却又在别无选择地朝着未来前进。

　　向前进，男孩们、女孩们，一直向前进。

最最真诚的
荷马·P. 莽戈

图书在版编目（CIP）数据

小荷马的大冒险 /（美）菲尔布里克著；罗玲译.
一昆明：晨光出版社，2015.4（2022.1重印）
ISBN 978-7-5414-7072-1

Ⅰ.①小… Ⅱ.①菲… ②罗… Ⅲ.①儿童文学 – 长
篇小说 – 美国 – 现代 Ⅳ.①I712.84

中国版本图书馆CIP数据核字（2015）第044453号

THE MOSTLY TRUE ADVENTURES OF HOMER P. FIGG
Copyright © 2009 by Rodman Philbrick
Published by arrangement with Scholastic Inc., 557 Broadway, New York, NY 10012, USA
ALL RIGHTS RESERVED.

著作权合同登记号 图字：23-2014-112 号

小荷马的大冒险

出 版 人 吉 彤

作　者	〔美〕罗德曼·菲尔布里克	
翻　译	罗　玲	
绘　画	李广宇	
项目策划	禹田文化	
责任编辑	李　政　常颖雯　付凤云	
美术编辑	刘　璐　沈秋阳	
封面设计	萝　卜	
版式设计	沈秋阳	

出　　版	云南出版集团 晨光出版社
地　　址	昆明市环城西路 609 号新闻出版大楼
邮　　编	650034
发行电话	（010）88356856 88356858
印　　刷	固安兰星球彩色印刷有限公司
经　　销	各地新华书店
版　　次	2015 年 5 月第 1 版
印　　次	2022 年 1 月第 10 次印刷
开　　本	145 毫米 × 210 毫米 32 开
印　　张	7.5
I S B N	978-7-5414-7072-1
定　　价	21.00 元

退换声明：若有印刷质量问题，请及时和销售部门（010-88356856）联系退换。